FORT WORTH LIBRARY
W9-BRO-471

Jardinería fácil

Huerto urbano

EDICIÓN ORIGINAL

Dirección editorial
Catherine Delprat

Edición
Agnès Dumoussaud,
con la colaboración de Julie Lecomte

Dirección artística
Emmanuel Chaspoul

EDICIÓN ESPAÑOLA

Dirección editorial
Jordi Induráin Pons

Edición
M. Àngels Casanovas Freixas

Traducción
Montse Foz Casals

Corrección
Àngels Olivera Cabezón y Paloma Muñoz

Maquetación y preimpresión
Digital Screen, servicios editoriales

Cubierta
Mònica Campdepadrós

Ilustraciones de cubierta
© Shutterstock Inc.

Mallorca 45, 3.ª planta – 08029 Barcelona
Tel.: 93 241 35 05 – Fax: 93 241 35 07
larousse@larousse.es – www.larousse.es

ISBN: 978-84-15411-33-8
Depósito legal: B. 4248-2012
2E/1I

Jardinería fácil

Huerto urbano

Philippe Asseray

LAROUSSE

Sumario

Preparar el balcón

Un huerto al alcance de la mano

No es necesario disponer de una gran terraza bajo el tejado de casa para poder cultivar y recolectar algunas hortalizas. Uno o dos cajones o jardineras, o algunas macetas, siempre y cuando gocen de una buena orientación, bastarán para saborear el placer de producir su propia verdura.
Ahora bien, debe ser consciente de que unos pocos contenedores no podrán sustituir nunca un huerto de verdad, aunque solo mida 50 m^2. Así, sería ilusorio pensar que podremos alimentar a nuestra familia con lo que recolectemos del balcón. Este huerto en las alturas se debe considerar un jardín de bolsillo que ofrece el placer diario de ver crecer nuestra propia verdura y de degustar los tomates cereza «del jardín» para el aperitivo, o de abastecernos de hierbas frescas para la cocina.

¿QUÉ TIPO DE HORTALIZAS SE PUEDE CULTIVAR EN MACETA?

> **Dos criterios esenciales** deben orientar su elección: que tengan un **tamaño** y un **volumen** relativamente modestos, y que sean de crecimiento rápido para aprovechar el buen tiempo desde las primeras recolecciones. Las variedades «enanas» que se venden en las tiendas se adaptan bien al cultivo en maceta, pero no se limite a ellas. Algunas variedades de lechuga o los rábanos también tienen un crecimiento rápido, lo que resulta perfecto para plantarlos en maceta. Los tomates cereza, por su parte, no pueden faltar, aunque exijan un poco más al jardinero que cuida de su pequeño universo…

Todas las hierbas aromáticas, como la albahaca, se pueden cultivar en maceta.

> En las **fichas** del presente libro recomendamos las **variedades** que se adaptan mejor al **cultivo en maceta** o **en jardinera**, así como **variedades originales** que, a cambio de algunos esfuerzos, le gratificarán con follajes o frutos decorativos tanto en la maceta como en el plato.

¿CUÁL ES LA ORIENTACIÓN ADECUADA DEL BALCÓN?

> Si su balcón está orientado hacia el **este** o hacia el **norte**, le dará muy poco el sol durante el día. Será ideal para estar frescos en verano, pero resultará poco propicio para el cultivo de muchas hortalizas, especialmente las que producen fruto. Aun así, no todo está perdido, ya que podrá cultivar acelgas, las reinas incuestionables de la sombra. Las acelgas rojizas como «Ruby Chard» son muy decorativas, aunque las verdes serán más gustosas. Los rabanitos y las lechugas son especialmente sensibles al intenso calor estival así que también agradecerán esta exposición protegida.

> En los balcones muy soleados, expuestos totalmente hacia el **sur**, opte por los tomates, los pimientos, las berenjenas y los calabacines, hortalizas que prefieren el calor siempre y cuando tenga la posibilidad de regarlas con frecuencia.

> La exposición al **oeste** es la ideal para muchas hortalizas que podrían «cocerse» en un balcón demasiado soleado durante el día. Es el emplazamiento perfecto para las hortalizas de raíz como la remolacha o la zanahoria.

¿QUÉ HAY QUE SABER?

NORMATIVA

> Antes de lanzarse y habilitar terrazas y balcones, es imperativo que consulte la **normativa** ya que, en caso de accidente, se tendría en cuenta la responsabilidad civil de los habitantes de la vivienda. A continuación, le recordamos las comprobaciones más importantes que debe realizar antes de proceder a cualquier instalación:

- **Consultar al servicio de urbanismo** de su ciudad para conocer la normativa y las ordenanzas locales. Atención: las normas pueden ser distintas dentro de un mismo municipio, según la clasificación de las zonas urbanizadas.
- **Consultar la normativa de copropiedad**, porque suele incluir muchos detalles, restricciones y otras limitaciones con respecto a las normas de urbanismo del municipio.
- Un elemento que se tiende a olvidar: **evite sobrecargar los balcones o las terrazas** con un peso total superior a la carga admisible, que a la larga podría deteriorar el edificio, e incluso provocar graves accidentes para las personas. La carga máxima suele ser del orden de 350 kg/m^2, pero siempre resulta prudente confirmarlo con el propietario, el arquitecto, el presidente de la comunidad, etc., y obtener un documento escrito sobre esta característica técnica.
- **Para el acondicionamiento y las obras consiguientes en balcones y terrazas**, como la colocación de pérgolas o de mamparas, resulta conveniente pedir el permiso correspondiente al ayuntamiento, para evitar cualquier conflicto con los vecinos.

CALCULAR EL PESO DEL MATERIAL

> Los balcones son generalmente construcciones «adosadas» a una pared, que cuelgan en el vacío (o encima de los balcones de los pisos inferiores) y que no pueden sostener cualquier tipo de carga. Así pues, es básico tener en cuenta el peso de las macetas y de las jardineras con todo su material, además del mantillo, de las plantas, etc., así como el peso del jardinero o jardineros durante el acondicionamiento del balcón.

- **Tenga en cuenta que un saco de mantillo** de 40 litros pesa de 12 a 15 kg aproximadamente, y que hay que calcular de un 20 a un 50 % más cuando está mojado (después de regar, por ejemplo). En una jardinera de 60 x 30 cm, necesitará tres sacos. Así, una jardinera de madera de estas dimensiones puede sumar en la balanza 10 kg de la jardinera, hasta 65 kg del mantillo, 5 kg de grava para el drenaje, más algunos kilos de las ruedas, el platillo de recuperación del agua, las plantas, los posibles

El soporte para la manguera es imprescindible para que esta no quede en el suelo y le haga tropezar.

tutores, etc. Es decir, un peso de casi 85 kg para una jardinera que quizás solo albergará dos pies de tomate y tres lechugas...

> Sin embargo, tampoco hay que dramatizar, ya que todos los edificios recientes disponen de balcones que pueden soportar perfectamente el peso de un huerto. Este pequeño cálculo pretende simplemente sensibilizar a los jardineros que se planteen habilitar el balcón o la terraza de un edificio antiguo.

CUESTIÓN DE SENTIDO COMÚN

- **Coloque siempre las macetas y las jardineras** dentro de las barandillas y otras protecciones y, si los soportes no disponen de sistemas para este fin, recuerde sujetar los contenedores a los soportes para evitar que el viento los vuelque cuando las plantas estén muy desarrolladas.
- De manera general**, no elija plantas de dimensiones desproporcionadas** en relación con el contenedor o con su balcón, porque podrían quedar expuestas a las inclemencias meteorológicas y, sobre todo, al viento.
- Procure **realizar regularmente el mantenimiento** de su «jardín en el aire» y ocuparse correctamente de los residuos, para que sus vecinos no sufran las caídas de restos vegetales, de frutos estropeados, etc.

PUNTO DE AGUA EN EL BALCÓN

> Pocos son los balcones y las terrazas equipados con una entrada de agua. Se trata de un «olvido» frecuente de los arquitectos, que no piensan ni en el riego de las plantas ni en la limpieza de esta «estancia exterior». Los fabricantes de productos de riego ofrecen, por su parte, mangueras espirales que no ocupan espacio en el balcón, pero, para poder utilizarlas, hace falta un grifo...

> Si no tiene este grifo providencial en su balcón o terraza, le quedan dos soluciones para disponer puntualmente de agua empalmando una manguera en casa: utilizar un macho para grifo sin rosca, que se fija en el extremo de un cuello de cisne sin paso de rosca, o bien fijar un grifo perforador en una tubería de entrada de agua ya existente y de fácil acceso desde el balcón.

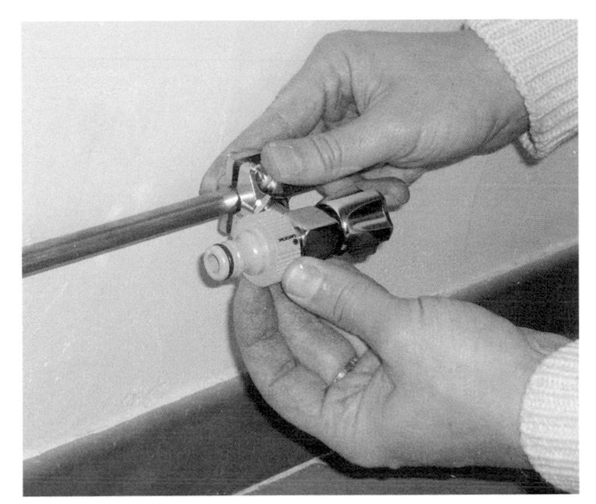

El grifo perforador permite disponer de un punto de agua cerca del balcón, sin cortar ni soldar la tubería de cobre.

- **El macho para grifo sin rosca** es un racor automático de tipo Gardena. Por un lado, dispone de una abertura con una junta de goma que se debe apretar alrededor del saliente del cuello de cisne con una tuerca de mariposa, para garantizar la estanqueidad. Por otro lado, cuenta con un racor macho estándar para empalmar con un clic otro tubo equipado con el racor hembra... Es ideal para los grifos de la cocina, pero inútil en los grifos de caño plano de los cuartos de baño.
- **Un grifo perforador** es un grifo montado sobre una abrazadera, que se coloca encima de una tubería de cobre existente, sin cortar ni soldar absolutamente nada. Primero, localice el conducto del agua fría. Después, cierre la llave de paso del agua general. Abra un grifo de casa para evacuar el agua que pudiera hallarse en la tubería. Separe la abrazadera del grifo. Si es necesario, afloje las bridas de fijación de la tubería antes de separarla de la pared para pasar la abrazadera. Limpie la tubería con papel de vidrio. Fije la abrazadera apretando con fuerza con un destornillador. Enrosque el grifo sobre la abrazadera hasta la perforación automática de la canalización de cobre. Cuando esté a punto de concluir esta operación, inmovilice el grifo vertical u horizontalmente, según la disposición del lugar, de manera que sea posible empalmar la tubería sin acodarla. Fije el grifo en la abrazadera con una llave plana. Empalme la manguera y abra la válvula general. Compruebe la estan-

Procure siempre colocar platillos de un diámetro aproximadamente 5 cm superior al de la base de la maceta.

queidad de la instalación. Si todo va bien, cierre el grifo perforador y vuelva a colocar las bridas de fijación. Ahora ya tiene un nuevo grifo específico para el balcón.

RECOGER EL AGUA DE RIEGO

> Si el hecho de que el balcón pueda disponer de un grifo resulta un problema, **la recogida y recuperación del agua de riego** no lo es menos, y seguramente es algo aún más difícil de resolver. La mayoría de los balcones disponen de uno o varios orificios de evacuación de las aguas pluviales con, generalmente en el exterior del balcón, una canalización que dirige esta agua hacia abajo, a menudo sobre el balcón, la terraza o el jardín del vecino. Si bien este sistema es aceptable para las aguas pluviales, evidentemente resulta impensable para la evacuación del agua de riego del huerto en macetas, con todas las partículas de mantillo que contiene.

> Así, es obligatorio colocar **platillos** debajo de las macetas y las jardineras, con el fin de recoger el agua que no haya sido absorbida por la mezcla de tierra. Y aquí entenderá la ventaja de colocar **ruedas a las jardineras grandes**, o de poner las macetas sobre **soportes con ruedas**. Los platillos se podrán colocar fácilmente debajo de los contenedores después de vaciar su contenido cuando estén llenos. Vaciar, sí, pero, ¿dónde? Sobre todo, ni en el inodoro ni en el fregadero de la cocina, sino en un cubo, un barreño viejo o una cubeta situados a la sombra en el balcón, y en los que sea fácil sumergir la regadera para futuros riegos. En cuanto a las jardineras colgadas de la barandilla (por dentro del balcón, por supuesto), basta con dejar que el excedente de agua caiga sobre las jardineras de debajo, provistas de dichos platillos.

CONTENEDORES

> Si bien la elección puede resultar delicada o incómoda en el caso del mantillo, con los contenedores podrá elegir, teniendo en cuenta que debe plantearse dicha elección tanto desde el punto de vista estético como práctico.

- Primero, **considere la estética**, porque las macetas y las jardineras deben constituir un marco agradable. No dude en combinar formas, tamaños y materiales.
- **Piense en el aspecto práctico** y después en la jardinera, porque hay que contar con una profundidad real mínima de mantillo de 20 cm, e incluso de 30 cm en el caso de las zanahorias o de las tomateras, que son muy golosas. En cuanto al diámetro, nunca debe ser inferior a 20 cm. De hecho, si opta por contenedores grandes, podrá cultivar muchas plantas y obtener un efecto más espectacular y más posibilidades de lograr buenas cosechas. Olvide, pues, las tradicionales jardineras de geranios colgadas de la barandilla, salvo en el caso de algunas especies que ya se indican en las fichas dedicadas a cada hortaliza. Finalmente, opte siempre por los contenedores que dispongan de cadenas, asas o de cualquier otro elemento que permita levantarlos.

> Puede utilizar macetas, jardineras, cajones, macetas colgadas, medios toneles, regaderas viejas, cubos...

¿EXISTE ALGÚN MATERIAL IDEAL?

> Si se tienen en cuenta las limitaciones, en cuanto al peso, de los balcones o los alféizares de las ventanas, es

Opte por jardineras con asas, ya que facilitan bastante su manejo.

preferible optar por materiales ligeros, como el plástico, antes que por la terracota, y la madera antes que el hormigón o el metal. Estos contenedores, además, serán mucho más fáciles de manejar. Ahora bien, si el margen de peso que puede soportar el balcón es considerable, nada le impide emplear el material que más le guste. Sin embargo, desde un punto de vista práctico, no olvide que:

- **Los materiales de color oscuro** absorben más la luz y el calor que los materiales claros, de manera que el mantillo se calentará antes y se secará con rapidez, con lo que el riego deberá ser más frecuente.

ESTÁ PROHIBIDO...

... colgar las jardineras fuera de la barandilla. No olvide que usted es el responsable de los daños que pueda ocasionar a los vecinos de pisos inferiores, así como de los accidentes que puedan acaecer en la calle debido a una maceta de flores mal colgada.

- **Los materiales poco gruesos** transmiten rápidamente el calor al mantillo y a las raíces, de modo que no solo aceleran el desecamiento del mantillo, sino que, sobre todo, aumentan el riesgo de quemaduras irreparables en las raíces.
- **Los materiales porosos**, como la terracota, permiten que el mantillo «respire» a través de sus paredes. En cambio, retienen menos la humedad en el sustrato.

MACETAS COLGADAS

> Si las dimensiones de su balcón son reducidas, o bien si solo dispone de alféizares en las ventanas, considere las macetas colgadas del techo o de la pared. En este caso, cabe advertir que el contenedor debe ser necesariamente poco profundo, y que solo podrá cultivar plantas poco exigentes, como las aromáticas mediterráneas. Pero, aun así, ya resulta muy agradable. En este caso, es de rigor utilizar un sustrato muy ligero para reducir el peso del conjunto, lo cual no evita que se deban usar sólidas clavijas para fijar los ganchos o los colgadores.

Las macetas colgadas deben tener un recipiente en la parte inferior para recuperar el agua de riego.

SOLUTION
NUTRITIVE
BALCONS
EN POTS

UTILIZAR TAMBIÉN EL ESPACIO VERTICAL

> Si su balcón carece de espacio, o simplemente para aumentar la superficie plantada, piense también en emplear las paredes, las mamparas de separación, las barandillas y otras superficies verticales para cultivar hortalizas trepadoras. Las tomateras (cuando no se podan), las judías, los calabacines, etc. pueden guiarse sobre un enrejado fijado sólidamente en una pared del balcón. En este caso, bastará con colocar una jardinera a lo largo de dicha pared y estas plantas trepadoras, lo cual no impide sembrar o plantar hortalizas «bajas» al pie de estas plantas amantes de las alturas, como lechugas, rábanos, etc.

> En lugar de fijar los soportes en las paredes del balcón, considere usar estructuras prefabricadas, que se venden en las tiendas, con forma de obelisco, de columna u otras, sobre las cuales podrá colocar sus jardineras o sus cajones. Las plantas ubicadas en el centro del balcón encontrarán un soporte para sus ramas. Y si es aficionado al bricolaje, adquiera unos tutores de bambú y realice sus propias estructuras uniéndolos entre sí.

PREPARACIÓN DE LAS MACETAS Y LAS JARDINERAS

OPTIMIZAR EL DRENAJE DEL MANTILLO

• **La asfixia de las raíces por «ahogamiento»** es la principal causa de fracaso en el cultivo de hortalizas en jardineras. Los mantillos que se comercializan no solo suelen tener un drenaje deficiente, sino que también los contenedores disponen de muy pocos orificios de evacuación, en el caso de que los tengan. Antes de rellenar la jardinera y de que sea imposible manejarla o darle la vuelta debido a su peso, no dude en optimizar estos orificios de evacuación del agua.

• **Utilice una taladradora** equipada con una broca de 10 mm de diámetro (para madera, metales u otros materiales, según el tipo de contenedor), y taladre el fondo cada 10 cm. No tema que el mantillo salga por estos orificios, puesto que después intervendrá para retenerlo en el interior del contenedor.

Los contenedores de plástico no suelen tener orificios. Realícelos con una broca de madera o de metal. Atención: presione con moderación y permita que la broca penetre en el plástico por sí sola. Si aplica demasiada fuerza, corre el riesgo de que toda la maceta se resquebraje.

• **También puede practicar algunos agujeros** en los lados de las grandes jardineras de madera. Aunque no sirvan para evacuar el agua, estos orificios potencian la ventilación de la mezcla de tierra y, por consiguiente, ayudan a que esté más sana.

FACILITAR LA MOVILIDAD DE LAS MACETAS

> Como ya hemos visto al referirnos a los límites de peso de los balcones, las macetas grandes o las jardineras con el mantillo y las plantas pesan bastante (hasta 70 kg o

Fijados a la pared con sólidas clavijas, los enrejados pueden constituir el soporte de hortalizas y flores trepadoras. ¡Recuérdelo!

Preparar una jardinera de madera

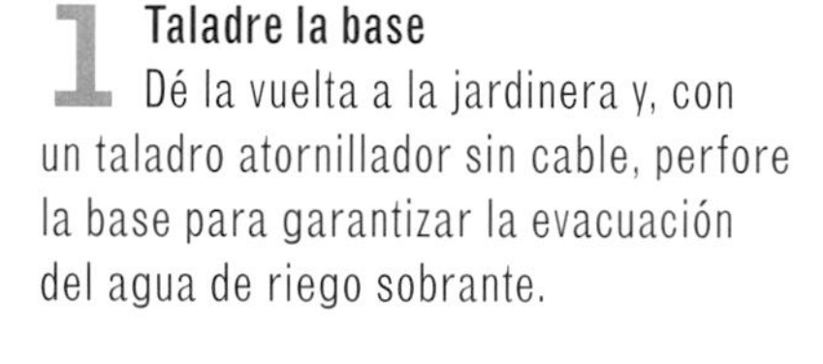

1 Taladre la base
Dé la vuelta a la jardinera y, con un taladro atornillador sin cable, perfore la base para garantizar la evacuación del agua de riego sobrante.

2 Coloque las ruedas
Compre al menos 4 ruedas duras para no dejar marcas en el suelo del balcón cuando mueva la jardinera y fíjelas con tornillos de acero inoxidable.

3 Aísle el mantillo
Para que las raíces de las plantas no resulten afectadas por las temperaturas extremas, coloque unas simples láminas de poliestireno en las paredes.

4 Drene la jardinera
Para evitar cualquier acumulación de agua en las capas inferiores del mantillo, extienda una capa gruesa de gravilla y aíslela del mantillo con una tela permeable.

más), y su desplazamiento resulta difícil. Sin embargo, en un balcón o en una terraza es necesario mover las macetas y las jardineras para limpiar, para crear ciertos efectos, para que a una planta en particular le dé más el sol, para colocar fácilmente los platillos debajo de los orificios de drenaje o simplemente para realizar las tareas de plantación o de recolección de forma más sencilla.

- **Así pues, vale la pena aprovechar el momento en que la jardinera está vacía** y del revés para colocarle ruedas. Cuente con cuatro como mínimo para garantizar la estabilidad del contenedor, y elija modelos robustos para soportar cargas importantes.
- **En el caso de las macetas de terracota o de material reciclado**, también puede colocarlas sobre soportes con ruedas. Los hay redondos, cuadrados, de diferentes tamaños, con o sin bordes, de madera o de metal... Evite las macetas altas y poco anchas, porque sobre un soporte móvil tendrán un equilibrio inestable.

UN BUEN AISLAMIENTO EN CASO DE HELADAS O DE MUCHO CALOR

> Las raíces de las hortalizas plantadas o sembradas en jardineras y en cajones están expuestas a temperaturas extremas y frías en invierno y cálidas y desecantes durante el verano, estación en la que hay más hortalizas en el balcón.

Así, es de sentido común preparar minuciosamente los contenedores antes de rellenarlos de mantillo.
Aunque cueste de imaginar, la temperatura puede aumentar de manera impresionante en el mantillo de una jardinera expuesta a pleno sol. En pleno verano, las raíces que crecen fuera del terrón, contra la pared de la jardinera, pueden asarse como un trozo de carne en una parrilla...

> Para proteger la tierra y las raíces del intenso calor estival, pero también de las heladas del invierno, el poliestireno se impone como el material más simple de utilizar. Es ligero, se vende en placas de pocos milímetros de grosor en las grandes superficies de bricolaje y se corta fácilmente con un cúter según la medida de cualquier contenedor. Incluso es lo bastante flexible para curvarse y adoptar la forma de las macetas redondas.

> Corte el poliestireno según sus necesidades, pero procure que las placas queden a unos 10 cm del borde de la maceta para que no se vean después de plantar. Finalmente, no olvide cubrir también el fondo del contenedor. No tema por la evacuación del agua, porque se producirá fácilmente entre las placas.

LA CAPA DRENANTE, IMPRESCINDIBLE

> Todos los mantillos, sean del tipo que sean, contienen abundante materia orgánica, un elemento que retiene bastante la humedad. Algunas plantas de huerto pueden sufrir las consecuencias de esta presencia constante de agua. Para mantener la mezcla de tierra y, por tanto, las raíces protegidas de una humedad excesiva, cubra siempre el fondo del contenedor con una capa drenante a base de grava, guijarros, trozos de macetas rotas, bolas de arcilla expandida...
Calcule un grosor del 20-25 % de la altura total del contenedor. Para evitar que el mantillo salga entre los fragmentos, cubra esta capa drenante con un trozo de fieltro de jardín, tela de yute o cualquier otro producto permeable al aire y al agua.

> Atención: algunas jardineras grandes de paredes desmontables, al regar, pueden dejar escapar el mantillo entre las juntas de las paredes. Para evitar esta molestia, ponga el fieltro de jardín de forma que cubra también las paredes, contra el poliestireno, a medida que vaya llenando la maceta con mantillo.

¿QUÉ MANTILLO ES ADECUADO PARA LAS HORTALIZAS?

> Si bien el huerto familiar debe tener una «buena tierra de jardín», esto no es aplicable a las jardineras del balcón o de la terraza. En una maceta o jardinera, la tierra «auténtica» es mucho más difícil de mullir que en el jardín, tanto mediante layado como con una herramienta que no remueva la tierra, como, por ejemplo, una horca de doble mango o un cultivador rotativo. La tierra termina compactándose, lo que pone en riesgo el buen desarrollo de las hortalizas de raíz, como las zanahorias, las remo-

El texto que aparece en la parte posterior de los sacos de mantillo permite comprobar el contenido de arcilla o de tierra, de compost o de estiércol.

lachas o los rábanos, y, sobre todo, la adecuada filtración del agua de riego.

> Tanto en el balcón como en la terraza, no olvide que hay que subir todo a mano: las jardineras, las plantas, los accesorios y la tierra. Aunque siempre es posible (y útil) conseguir tierra «auténtica» del jardín de un amigo, tendrá que subirla en cubos; sus asas le resultarán muy prácticas, pero la tierra pesa mucho. Así, se suele utilizar mantillo, con mezclas ya preparadas que se venden en las tiendas o que uno mismo puede realizar.

CUALIDADES DE UN BUEN MANTILLO PARA EL BALCÓN

> Por definición, los mantillos siempre se comercializan en sacos cerrados, de modo que el comprador no puede tocar el producto para evaluar su granulometría o para comprobar que no forma una masa negra y compacta al presionarla con la mano. Ningún distribuidor ha pensado todavía en colocar un saco abierto delante de cada palé... Así pues, hay que conformarse con lo que se ve y se palpa desde el exterior.

• **La ligereza**. Es importante para el transporte desde la tienda al domicilio, y del parking hasta el balcón, así como en el propio balcón, ya que el peso no debe ser excesivo (véase p. 10). Desde este punto de vista, los mantillos que venden en las tiendas siempre son más ligeros que la tierra «auténtica». Así, no hay nada que temer. Sin embargo, hay mantillos y mantillos. Según los ingredientes de que conste, un saco de 40 litros de mantillo puede pesar de 12 a 18 kg. En estos casos, es preferible optar por el más ligero.

• **Un buen mantillo**. Intente elegir siempre un mantillo de calidad, cuyas cualidades emulen al máximo las de la tierra «auténtica». Las condiciones de cultivo en un balcón ya son bastante artificiales para las hortalizas, de modo que hay que ofrecerles las mejores oportunidades para que puedan desarrollarse rápidamente y satisfacerle a usted. Un buen mantillo para hortalizas incluye casi siempre arcilla, además de un abono orgánico o un compost, que estimulará a las plantas. Así, en el momento de la compra, es importante leer siempre en la parte posterior del saco la composición del contenido. Esta información obligatoria suele aparecer en un recuadro.

Deje algunos centímetros en la parte superior para que no caiga mantillo al suelo cuando siembre o plante.

¿SE DEBE UTILIZAR UN MANTILLO ESPECIAL PARA HUERTO?

> Del mismo modo que los productos de tratamiento y los abonos, los mantillos tienen cada vez más un uso concreto. Los mantillos «para huertos» estarán indicados si contienen los elementos que ya se han citado. Pero no son los únicos, y los mantillos «para fresas» o «para geranios» serán igual de eficaces si también contienen arcilla y compost.

En cambio, es importante examinar atentamente la composición de los mantillos clasificados como universales u hortícolas, porque, como comprobará, no siempre contienen los componentes adecuados.

TRUCOS SIMPLES PARA CONSEGUIR UN MANTILLO MÁS LIGERO

Si no encuentra mantillos de calidad, con arcilla y compost, siempre puede realizar su propia mezcla en el sótano de su casa o en el parking del edificio, y después subirla al balcón.

Para mezclar la arena o la perlita con el mantillo, puede utilizar un barreño grande o un recipiente para trasplantar.

¿QUÉ ES LA PERLITA?

La perlita es una roca volcánica que, al calentarla, adopta el aspecto de pequeñas bolas blancas, ligeras, porosas y desmenuzables. Permite a las plantas y, por tanto, a las hortalizas, producir muchas raíces, con lo que pueden alimentarse bien y proporcionar fácilmente unas hortalizas fantásticas. Por otro lado, el agua se filtra en las bolitas de perlita por capilaridad, con lo que está a disposición de las plantas y permite reducir el riego. Se vende en sacos, en la sección de cactáceas de las tiendas de productos de jardinería, o en las grandes superficies de bricolaje.

- **Adquiera mantillo «para plantar»** o «para balcón» y después proceda a la mezcla de este mantillo con tierra del jardín de algún amigo jardinero y luego con perlita, en unas proporciones del 50 % y dos veces 25 %. La tierra de jardín, procedente de un huerto, si es posible, aportará la arcilla y la materia orgánica, mientras que la perlita permitirá que la mezcla resulte más ligera.
- **Una vez realizada la mezcla**, colóquela dentro de los sacos de mantillo para hacerse una idea del volumen del sustrato obtenido (en litros).

> También puede reemplazar la perlita por poliestireno molido, es decir, presentado en forma de bolitas a granel. Este material no retiene el agua, pero aligera considerablemente el mantillo, al mismo tiempo que contribuye a su drenaje. Así, está particularmente indicado para los sustratos de plantas aromáticas mediterráneas, como el tomillo, que sufren especialmente con los excesos de agua a nivel de las raíces. Además, puede utilizarlo para aligerar un «buen» mantillo, realizando una mezcla que incluya 1/3 de poliestireno. Este material se puede encontrar fácilmente en los distribuidores de materiales o, como la perlita, en las grandes superficies de bricolaje.

¿CUÁNTO MANTILLO ES NECESARIO?

- **Para una jardinera grande** de 30 x 60 cm y 40 cm de profundidad, calcule 20 litros de grava + 120 litros de mantillo.
- **Para una jardinera pequeña** de 30 x 30 cm y 30 cm de profundidad, calcule 10 litros de grava + 50 litros de mantillo.

> Atención: cuando hablamos de «mantillo», nos referimos a la mezcla de tierra. Así, si mezcla el mantillo que se comercializa con tierra de jardín o con poliestireno, necesitará menos mantillo.

MATERIAL NECESARIO

No es preciso equiparse demasiado para el mantenimiento del huerto, sobre todo porque inmediatamente aparece el problema de cómo ordenar todo ese material. Con un huerto familiar, siempre se puede prever un co-

¿Es necesario abonar?

No es obligatorio, pero ayuda, sobre todo a la hora de recolectar más a finales del verano. Algunos mantillos ya contienen abono, pero son pocos. Si utiliza uno de ellos, no hace falta que añada más, porque las plantas tampoco lo emplearán.

Con respecto al resto, así como en el caso de las mezclas de tierra que prepare usted mismo, hay que optar por los abonos de liberación lenta, que deberá incorporar al rellenar la jardinera. De este modo, las hortalizas gozarán de un aporte regular a lo largo de su crecimiento.

ABONOS QUE DEBE TENER A MANO

• **Virutas de cuerno,** que aportan, sobre todo, nitrógeno. Deben utilizarse en las jardineras y macetas con hortalizas verdes, como lechuga, col, canónigo, acelgas, etc. Tienen un efecto más duradero que el cuerno llamado torrefacto.

• **Fosfato natural (1),** útil para la formación de las flores y las semillas, es decir, para muchas hortalizas que son de fruto, como las judías, los tomates...

• **Potasa orgánica (1),** necesaria para la formación de las raíces y de los frutos. Son ideales para los rábanos, las zanahorias y la remolacha, así como para los calabacines, los pimientos y los tomates.

• **Abonos de algas** y **estiércol de ortiga (2),** que actúan como fortificantes que permiten, entre otras cosas, que las plantas desarrollen más sus raíces y que aumente su capacidad de obtener alimento del mantillo. Las hortalizas bien alimentadas también resultan más atractivas.

• **Estimuladores de raíces** (**3** y **4**) que, como su nombre indica, producen efectos beneficiosos en el crecimiento de las hortalizas.

La capa calefactora de plástico se coloca debajo del miniinvernadero. Basta con enchufarlo para mantener una temperatura suave y constante hasta que las semillas broten.

bertizo de jardín, o un poco de espacio en el garaje al lado del coche. Pero en un balcón, a menos que se disponga de mucho espacio para instalar un cobertizo con estantes, deberá tener solo lo justo y necesario.

PARA LA SIEMBRA DE PRIMAVERA

• **Un miniinvernadero con calefacción** es imprescindible para sembrar en macetas con turba en el interior de casa, en una habitación vacía. Los hay de varios tamaños, algunos con capacidad para solo 8 macetas, pero que son suficientes para las necesidades de cualquier huerto de balcón. Consisten en una bandeja rectangular de plástico y una tapa, también de plástico, pero transparente. Después de colocar y regar las macetas, basta con colocar la capa calefactora debajo del invernadero y enchufarlo a un interruptor. La capa calefactora distribuye un calor suave por el invernadero, lo que favorece que broten las semillas.

> El miniinvernadero no ocupa mucho espacio sobre una mesa delante de una ventana y puede guardarse fácilmente en un armario a partir del mes de mayo, hasta la siembra del año siguiente.

• **Un invernadero de balcón** es un equipamiento más considerable. No dispone de calefacción, pero permite conservar las plantas más frioleras al resguardo de los vientos y de los fríos más severos durante los meses de invierno. También permite realizar la transición entre el miniinvernadero con calefacción y el balcón. Así, las plantas procedentes de siembras realizadas en un ambiente cálido pueden colocarse primero en el invernadero de balcón a partir de abril, por ejemplo, para que se aclimaten antes de plantarlas en su jardinera definitiva cuando ya no exista riesgo de noches frías.

> Este invernadero suele ser de madera, pero también los hay de aluminio, que son más ligeros. Los cristales son de policarbonato, más sólido y más aislante que el cristal. Las puertas se abren y la parte superior puede levantarse para liberar el calor en caso de una insolación importante.

• **Las macetas de turba** son una especie de cubiletes que parecen de cartón, pero que, en realidad, están fabricados con una mezcla de subproductos de la madera y

Las macetas de turba, fáciles de utilizar, garantizan un crecimiento rápido de los plantones en las macetas y jardineras del balcón.

turba, con forma de vasos, redondos o cuadrados, de diferentes tamaños. Los modelos cuadrados de 8 cm de lado son los mejores para los huertos de balcón. La gran ventaja de utilizar estas macetas reside en que, en su interior, se pueden sembrar las semillas de las hortalizas, los plantones se desarrollan y luego se pueden plantar directamente en la jardinera o en la maceta, ya que el recipiente se descompone en la tierra o en el mantillo. Otra ventaja es que permiten abandonar el uso de macetas de plástico, que contaminan y que se deben eliminar.

HERRAMIENTAS ÚTILES

> Cada temporada aparecen nuevas herramientas para balcón que, de hecho, no son más que variantes de las herramientas clásicas de jardín: palas, horcas, cultivadores rotativos, etc., e incluso escobas para césped, todo ello de un reducido tamaño.

• Atención: no caiga en la trampa, porque bastante a menudo un simple **trasplantador** sirve para todo... Y basta con dejarlo clavado en una de las macetas para tenerlo siempre a mano.

El semillero de plástico translúcido permite controlar mejor el número de semillas que se ha sembrado en el surco. Resulta imprescindible para las semillas más pequeñas.

La manguera microporosa riega lentamente las hortalizas, sin despilfarrar agua. Se puede instalar un programador.

• Existe otra herramienta que resulta muy útil en primavera, pero que no se encuentra en los kits de jardinería: una **pequeña llana de plástico** para allanar el sembrado. Deberá buscarla en una gran superficie de bricolaje.

• **El semillero de plástico** con tapa transparente es práctico para sembrar las semillas más pequeñas. La abertura del compartimento es regulable para adaptarse a los diferentes tamaños de las semillas.

¿Y PARA REGAR?

> El problema, en un balcón, es que solemos tener muy próximo el balcón del vecino y, por tanto, la lluvia nunca cae encima del nuestro. Así, el riego es aún más importante que en un huerto familiar, aunque llueva.

• **La regadera** es la única herramienta realmente práctica en un balcón. Opte por una de tamaño medio (10 litros como mucho) para que ocupe poco espacio cuando no la utilice y no pese demasiado cuando tenga que levantarla para regar las jardineras y las macetas en lugares elevados. La alcachofa de la regadera no le servirá de nada. En cambio, un cuello largo y delgado le permitirá regar al pie de cada planta sin mojar el follaje. Es el mejor

Recoger el agua de lluvia

Si tiene la suerte de que pase por su balcón un bajante del canalón, quizás pueda colocar un recuperador de agua. Algunos modelos se instalan sin tener que cortar el canalón.

1 Ponga una broca cilíndrica en una taladradora sin cable y taladre el bajante según el diámetro indicado en el producto.

2 Instale la abrazadera haciendo encajar el agujero del bajante con el orificio de la abrazadera.

3 Introduzca el achicador y su grifo. Solo queda conectar una simple manguera para dirigir el agua hacia un bidón, un cubo, etc. Cuando este recipiente esté lleno, bastará con girar el regulador del recuperador para que el agua siga su camino por el bajante.

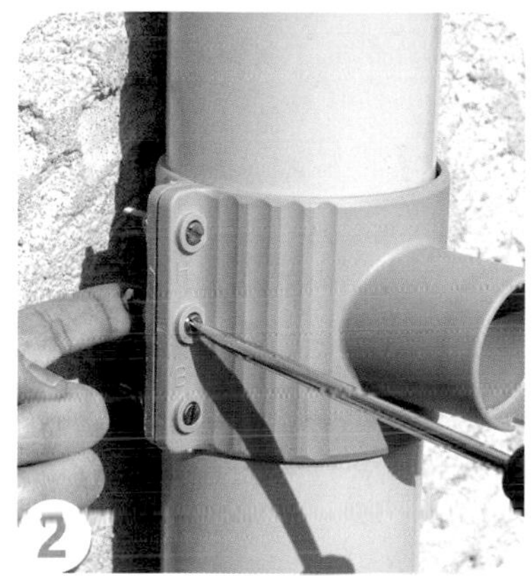

método para no provocar enfermedades. Lo ideal es utilizarla junto con un depósito grande que recoja el agua de la lluvia desde un bajante del canalón que pase por el balcón o en el que vacíe los platillos colocados debajo de las jardineras. Así, para llenar la regadera, bastará con sumergirla en el depósito, donde el agua estará siempre a temperatura ambiente.

• **Un pequeño pulverizador** manual permite regar todos los semilleros a modo de una lluvia fina, sin peligro de mover las semillas. Resulta imprescindible para las siembras realizadas en casa en un miniinvernadero.

• Si tiene la suerte de disponer de **un grifo en el balcón**, puede conectar al mismo una manguera porosa y colocarla entre las hortalizas, pasando de una jardinera a otra. Se trata de una manguera de plástico reciclado cuya principal cualidad es que tiene orificios, porque su pared es microporosa. Así, cuando se llena de agua, esta atraviesa poco a poco las paredes, como si transpiraran. Es una manguera ideal para regar poco a poco, sin ruido ni despilfarro. Puede incluso poner un programador en el grifo, para determinar la duración y la frecuencia de los riegos.

DISPOSITIVOS DE PROTECCIÓN

> En un balcón, las condiciones meteorológicas suelen ser extremas. Puede hacer mucho calor en pleno verano, pero también mucho frío a causa de la exposición al viento durante las otras estaciones. Una ubicación soleada es perfecta para la mayoría de las hortalizas, sobre todo para las de frutos, como tomates, pimientos, berenjenas, etc. Sin embargo, cabe advertir que a las hortalizas de raíz les gusta un poco el fresco, por no decir la sombra, en las horas más cálidas del día.

• **Si su balcón está orientado al sur**, ponga un toldo para reducir el calor. Una sombrilla también permite que las especies sensibles puedan soportar fácilmente el calor.

• **En primavera**, pero, sobre todo, a finales de verano, si desea prolongar el periodo de recolección de las hortalizas de fruto, resulta ideal colocar cada tarde una lona de invernaje sobre las plantas para protegerlas del frescor nocturno. Esta protección se debe retirar al día siguiente, en cuanto los rayos del sol vuelvan a incidir sobre el balcón.

Tanto en primavera como al final de temporada, cubra sus jardineras y macetas con una lona de invernaje para proteger las plantas del frescor nocturno.

Basta una simple sombrilla inclinada y bien fijada a la barandilla para proteger las hortalizas frágiles del sol de las horas más cálidas del día.

• **Para conseguir un ahorro sustancial de agua**, no olvide recurrir al **acolchado** en todas las macetas y jardineras. Al mantener fresco el mantillo, tendrá que regar menos, y sus plantas se desarrollarán mejor. Si no quiere comprar un saco grande de producto de acolchado, que de inmediato se convertirá en un estorbo en el balcón, puede utilizar **tela de yute**, muy eficaz y fácil de cortar a la medida de las macetas. Está compuesto por granulados de lana compactados y resulta muy práctico para las macetas.

• **Las terrazas soleadas suelen ser muy apreciadas por las moscas blancas** y otros parásitos voladores de las hortalizas que, sin saberlo, usted mismo habrá traído con los plantones comprados en alguna tienda. Para eliminarlos, coloque tiras adhesivas de color amarillo en cada una de las jardineras de la terraza. Atraídas por el color, estas moscas se quedarán pegadas en la trampa. Vaya cambiando las láminas cuando estén llenas de insectos.

Hortalizas de balcón

Berenjena

Utilice un miniinvernadero

La berenjena es una planta muy sensible al frío, y, por ese motivo, la menor helada quema su follaje. Pero como su cultivo es largo, debe sembrarla dentro de casa para obtener frutos en pleno verano. Afortunadamente, también se pueden comprar plantones y colocarlos directamente en el balcón...

VARIEDADES

«Cristal» es una variedad que puede producir diversos frutos por pie si se cultiva en maceta. «Slim Jim» está especialmente indicada para su cultivo en balcón y en terraza, porque tiene un porte achaparrado de solo 40 cm de alto, con lo que resulta menos voluminoso y menos sensible al viento, y produce unos frutos redondos de color violeta del tamaño de una pelota de golf. «Piccola» (véase foto p. 32) produce berenjenas de forma tradicional, pero de tamaño reducido.

Por curiosidad, también se puede cultivar la «planta huevo», una berenjena de frutos ovoides blancos, de tamaño parecido a los huevos de gallina.

Berenjena «Planta huevo» ▷

Bloc de notas

* **EXPOSICIÓN:** soleada
* **NÚMERO DE PLANTONES:** 1 sobre para la temporada, o bien 2 o 3 plantones.
* **DIMENSIONES DE LA MACETA:** jardinera de 30 cm × 30 cm.
* **CUÁNDO PLANTAR:** de febrero a abril.
* **TIERRA:** rica en humus y fresca.
* **CUÁNDO RECOLECTAR:** 5 meses después de la siembra.

Sembrar con éxito las berenjenas

La berenjena se multiplica por semillas. Pero como es una planta a la que le afecta el frío, hay que sembrarla en un miniinvernadero con calefacción, bien protegido en el interior de casa, antes de plantarla en su maceta en la terraza, cuando ya no exista peligro de heladas. Hay que calcular unos dos meses entre la siembra y el momento de trasplantarla. Así, en las regiones frías, hay que esperar hasta finales de mayo antes de sacarla al exterior. Por tanto, la siembra debe realizarse en el mejor de los casos a finales de marzo. Cuanto más al sur nos hallemos, antes la podremos sacar y, por tanto, también se podrá sembrar antes.

1 Siembre las berenjenas en macetas de turba llenas de mantillo para siembra y colóquelas en un miniinvernadero con calefacción, en una habitación de casa o en un porche.

2 Ponga tres semillas en cada maceta, espaciadas unos 2 o 3 cm, en triángulo. Húndalas con el dedo de modo que queden cubiertas con 1 cm de mantillo bien tamizado.

3-4 Compacte con los dedos, después riegue a modo de lluvia fina para humedecer bien el sustrato.

5 Cierre el invernadero. Las semillas brotarán al cabo de 8 o 10 días, momento en el que deberá acercar el miniinvernadero a la ventana.

Al cabo de un mes, arranque de cada maceta los dos plantones menos vigorosos para facilitar el desarrollo del que conserve. Sosténgalos entre el pulgar y el índice, por la base, y simplemente levántelos. Con los dedos, compacte la tierra de alrededor del plantón que haya conservado, porque puede haberse levantado al arrancar los otros dos. Riegue inmediatamente para que el mantillo vuelva a estar en contacto con las raíces. A partir de entonces, ya podrá desconectar la calefacción y mantener el miniinvernadero entreabierto de manera permanente.

> BERENJENA

Las semillas que he sembrado no brotan.
En ocasiones, sucede porque las semillas de berenjena brotan de una forma un tanto caprichosa. Para estimular a estas semillas perezosas, el truco consiste en colocar el sobre de semillas en el cajón de verduras del frigorífico durante 3 o 4 días antes de sembrarlas.

LA MEJOR MACETA

La berenjena se desarrolla bien en una tierra profunda y rica en compost. Así, en el balcón, deberá plantarla en una jardinera de 30 x 30 cm como mínimo, donde el sustrato quedará menos compactado, y con una profundidad de mantillo de al menos 30 cm, sin contar la capa drenante. A la berenjena le encantan los suelos húmedos, de modo que aceptará crecer en contenedores con paredes impermeables, de metal o de plástico.

LA MEJOR TIERRA

Necesita una tierra muy rica en materia orgánica. El cultivo en una jardinera llena del mejor mantillo será ideal. Lo mejor es un mantillo «para plantar», mezclado al 50 % con grava fina.

EL MEJOR MANTENIMIENTO

Después, basta con mantener fresco el mantillo para que los plantones crezcan con regularidad. Cuando los plantones toquen la tapa del miniinvernadero, ábralo completamente. Dos semanas antes del periodo previsto para su plantación en la jardinera, saque el miniinvernadero cada día al balcón durante las mejores horas del día, para que los plantones se fortalezcan. Así, desde abril en las zonas más cálidas y no antes de finales de mayo en las zonas más frías, trasplante los plantones en la jardinera definitiva con las macetas de turba, donde las raíces ya deben haber atravesado las paredes. Puede enterrar la superficie de la maceta unos 2 o 3 cm. La berenjena necesita espacio, de modo que no debe plantar nada a menos de 25 cm de cada plantón, y calcule como mínimo 40 cm entre dos plantones. Riegue con abundancia al pie de la berenjena. Recurra al acolchado para retener la humedad. Aunque no siempre resulte necesario, puede clavar un tutor de bambú al pie de cada planta para sostener (sin presionar) el tallo principal a medida que vaya creciendo. Finalmente, coloque la jardinera de la forma en que reciba más sol.

EL CONSEJO DEL PROFESIONAL

Para evitar las dificultades de la siembra, puede comprar plantones de berenjena en macetas, que encontrará en centros de jardinería, y plantarlos en los mismos periodos que los plantones sembrados por usted. Si donde vive, el buen tiempo dura poco, opte por comprar plantones injertados, ya que producen frutos con mayor rapidez que los plantones tradicionales. Para favorecer la formación de frutos, no dude en podar las plantas: corte el tallo principal 2 cm por encima de la segunda flor. Aparecerán nuevos brotes durante el mes de julio. Vuélvalos a cortar 2 cm por encima de la primera flor, y así sucesivamente.

TRUCO CULINARIO

Las berenjenas están siempre más sabrosas si se consumen pocas horas después de su recolección. Si solo tiene uno o dos frutos, recoléctelos para preparar pequeños canapés, que deberá cubrir con relleno de carne y champiñones. Hornéelos. Son ideales para un aperitivo.

LA RECOLECCIÓN

Calcule unos 5 meses entre la siembra y el inicio de la recolección. Si todo va bien, podrá recolectar su primer fruto a finales de julio. Las berenjenas se deben ir recolectando en función de sus necesidades, cuando están bien brillantes y se ablandan al apretarlas con los dedos (pero sin que estén reblandecidas). Sostenga el fruto con una mano y corte el pedúnculo con unas tijeras de podar. Atención: los restos del cáliz de la flor suelen pinchar.

▽ Para cultivar berenjenas necesitará macetas grandes.

OCIMUM BASILICUM

Albahaca

Téngala a mano

Símbolo de los enamorados en la época de los romanos, la albahaca se cultiva mucho en la zona del Mediterráneo, y constituye, además, uno de los ingredientes imprescindibles del pesto, una deliciosa salsa que se prepara con albahaca, ajo, piñones y aceite. Es una hierba que se utiliza como condimento y que crece muy bien en maceta o en jardinera en el balcón, e incluso en el alféizar de la ventana. Para que se desarrolle rápidamente y produzca numerosos brotes, se debe colocar a pleno sol, en un mantillo que no se compacte demasiado y, sobre todo, que no se convierta en una esponja al regarlo.

Bloc de notas

* EXPOSICIÓN: a pleno sol.
* NÚMERO DE PLANTONES: 4 o 5 por temporada.
* DIMENSIONES DE LA MACETA: una maceta de 15 × 15 cm si la planta está sola; en una jardinera grande si está con otras plantas.
* CUÁNDO PLANTAR: a partir de abril, después de las últimas heladas.
* TIERRA: blanda, bien drenada.
* CUÁNDO RECOLECTAR: un mes después de la plantación, según sus necesidades.

VARIEDADES

Aunque se habla de la albahaca a menudo, tendemos a olvidar que existen diferentes variedades que se distinguen por el color, la forma de las hojas y, sobre todo, el aroma. Así, en el balcón, hay que saber apreciar «Canela» y «Regaliz», cuyo nombre evoca el olor de la planta, pero también «Verde fino compacto» raza Latino, con un follaje muy perfumado; «Mrs. Burns», con un ligero sabor a limón; sin olvidar «Purple Ruffles», de grandes hojas púrpura recortadas, ideal para decorar los platos.

LA MEJOR MACETA

La albahaca se desarrolla en cualquier tipo de contenedor, pero el mantillo a veces se seca con demasiada rapidez en las macetas de terracota. Así pues, plántela en recipientes metálicos, incluso en macetas de plástico, o en viejos recipientes metálicos de cocina que encontrará en algún anticuario. Ofrézcale simplemente unos 15 cm de diámetro, y más o menos lo mismo de profundidad, sin contar la capa drenante.

Plantar la albahaca en una maceta o en un contenedor

Si la variedad le resulta indiferente, le será más fácil comprar plantones en macetas durante el mes de mayo y plantarlos directamente en una maceta o en una jardinera.

1 Los plantones que se venden en macetas o en contenedores de plástico se cultivan en una mezcla a base de turba. Para garantizar el inicio de su crecimiento, es imprescindible humedecer bien el terrón antes de la plantación, durante unos 10 minutos.

2 Prepare su emplazamiento en la jardinera o la maceta con la mezcla de tierra. Sujetando el trasplantador como si se tratara de un puñal, realice un hoyo de una profundidad equivalente a la altura del terrón.

3 Abra la mano separando los dedos para pasarlos entre los tallos de la albahaca y dé la vuelta al contenedor. Con la otra mano, presione las paredes y retírelo delicadamente para no romper el terrón.

4 Coloque con cuidado el terrón en el hoyo, cuya parte superior debe aflorar en la superficie del mantillo de la jardinera. Rellene con mantillo alrededor del terrón y compáctelo (sin excederse) para que las raíces estén en contacto con su nuevo entorno.

5 Riegue inmediatamente, con una manguera o una regadera sin alcachofa, y dirija el chorro de agua sobre el mantillo, alrededor del terrón, al lugar donde haya rellenado el hoyo.

EL CONSEJO DEL PROFESIONAL

Mantenga el sustrato fresco; para ello, cubra la superficie con un trozo de tela de yute, bolas de arcilla expandida, etc. Simplemente, tenga cuidado en mantener despejada la base de la planta, para no concentrar demasiada humedad en el tallo.

LA MEJOR TIERRA

La albahaca prefiere las tierras ricas en humus, ya que este mantiene el frescor que necesitan sus raíces. El mantillo «para plantar» también es apto, siempre y cuando no contenga materia orgánica mal descompuesta. Para asegurarse, huela un saco abierto: no debe oler mal ni desprender calor. Como este sustrato no debe retener demasiado el agua, porque las raíces podrían asfixiarse, es imprescindible mezclarlo con arena de río, perlita o puzolana, con una proporción de ¾ de mantillo por ¼ de uno de estos elementos.

Sembrar la albahaca con éxito

Cuando se desea cultivar variedades originales o poco corrientes, es necesario sembrar la albahaca.

1 Las semillas de albahaca necesitan calor para germinar. Si en el jardín la temperatura no es lo suficientemente suave, deberá sembrarlas en casa, en un miniinvernadero con calefacción, a mediados de marzo. Conecte la capa calefactora 24 horas antes, para que el mantillo esté a una temperatura mínima de 15 °C en el momento de sembrar.

2 El reducido tamaño de las semillas de albahaca obliga a utilizar un pequeño semillero de mano para evitar formar montones de semillas y derrocharlas, ya que después se deberán aclarar. En una parte de la terrina (no hace falta que vacíe todo el paquete, pues 4 o 5 pies serán suficientes), distribuya las semillas sobre un mantillo de siembra previamente nivelado y ligeramente compactado.

3 Cúbralo con una capa fina de mantillo y compáctelo con una tabla pequeña. Riegue inmediatamente a modo de lluvia fina. Cierre el miniinvernadero y colóquelo en un lugar con luz, cerca de una ventana.

4 Trasplante los plantones cuando tengan entre 2 y 4 hojas, es decir, aproximadamente un mes después de la siembra. Levántelos delicadamente con un tenedor, intentando conservar un pequeño terrón de mantillo alrededor de las finas raíces. Coloque los plantones uno a uno en macetas de turba de 8 a 9 cm de diámetro con una mezcla con ¾ de mantillo + ¼ de arena. No entierre el tallo y compacte la tierra delicadamente para no romper las raíces. Riegue inmediatamente a modo de lluvia fina y conserve las macetas bien resguardadas y a 15 °C como mínimo, en un lugar con luz.

5 Plante las macetas en su emplazamiento definitivo, generalmente a partir de mediados de mayo; en cualquier caso, cuando no exista riesgo de heladas. Puede enterrar la maceta de turba, que se descompondrá por sí sola, momento en que las raíces colonizarán su nuevo entorno. En ese momento, riegue bien y coloque la maceta en el balcón, evitando la exposición a pleno sol durante los primeros quince días para que el follaje no se queme.
Si planta la albahaca en jardineras con otras plantas, mantenga una distancia de unos 25 cm aproximadamente.

S.O.S.

La albahaca no tiene enemigos. En cambio, es sensible a padecer una enfermedad que hace que los plantones se «fundan», un fenómeno que se traduce en la desaparición de las plántulas jóvenes justo después de brotar, como si se hubieran fundido. Para evitarlo, no siembre las semillas demasiado juntas, no empape demasiado el mantillo al regar y procure entreabrir el miniinvernadero para garantizar una correcta ventilación a nivel de las plántulas.

EL MEJOR MANTENIMIENTO

Corte los extremos de los brotes cada quince días para facilitar la aparición de otras ramificaciones. Puede utilizar un par de tijeras, o simplemente pinzar los brotes entre las uñas del pulgar y del índice. Así, la planta será más frondosa y contará con más puntas perfumadas. Pince, asimismo, todas las yemas florales y todas las flores antes de que se desarrollen. De lo contrario, la planta consumirá energía en la producción de flores, cuando lo más apreciado en ella es su follaje. La albahaca se irá desarrollando hasta la primera helada, que resulta fatal. En este momento, podrá arrancarla. Probablemente, el «mantillo» estará agotado. No lo conserve para un próximo cultivo, ofrézcaselo a un amigo que pueda añadirlo a su compost.

▽ **Si cultiva las plantas aromáticas en macetas separadas podrá juntarlas cerca de la cocina durante el periodo de recolección.**

LAS MEJORES COMBINACIONES

La albahaca prefiere estar sola en una maceta, lo que permite modificar con facilidad la decoración del balcón en función del estado de las plantas. Sin embargo, saldrá ganando si la cultiva cerca de las tomateras, porque su olor ahuyenta a ciertos parásitos. Por otro lado, como en la cocina suele utilizarse con tomates, la recolección resulta más fácil.

El follaje de las plantas aromáticas y de las que se utilizan como condimento permite bonitas combinaciones con plantas puramente decorativas. ▷

LA RECOLECCIÓN

Puede empezar aproximadamente unos 3 meses después de la siembra. Por este motivo, para poder sacar provecho a la planta desde comienzos del verano, no se debe sembrar más tarde de mediados de abril. Recoja las hojas a medida que las vaya necesitando, y, si es posible, justo antes de utilizarlas en la cocina. Corte simplemente unos 5 cm de los extremos, con la ayuda de un par de tijeras.

TRUCO CULINARIO

Las hojas de albahaca se emplean crudas, cortadas muy finas y no picadas, para aromatizar las ensaladas de tomates y las mayonesas, pero también en platos calientes como el pisto o las berenjenas rellenas. En todos los casos, espolvoree siempre la albahaca en el último momento, junto antes de servir, para aprovechar más su aroma.

FLEURS

BETA VULGARIS

Remolacha

Pruebe su sabor dulce

La remolacha de mesa, en realidad, no es una hortaliza demasiado atractiva, pero crece bien en el balcón, siempre y cuando tenga mucho sol. Es una planta más bien indicada para dejar anonadados a los amigos que tengan el placer de compartir una comida con usted.

VARIEDADES

La remolacha que resulta más fácil de cultivar es la variedad «aplastada de Egipto», clásica y corriente, que se conforma con poca profundidad de tierra, y particularmente la raza Emir. Para los balcones y las terrazas muy soleados, sin embargo, es mejor optar por la variedad «Red Cloud», más adaptada al intenso calor. Para que los amigos que invite a cenar queden gratamente sorprendidos, tenga también en cuenta la variedad «Chioggia», de raíz roja, cuya carne blanca presenta unas zonas concéntricas de color rojo oscuro. También existen variedades con raíces blancas, amarillas o de color rosa.

Remolacha «Chioggia». ▷

Bloc de notas

* EXPOSICIÓN: a pleno sol.
* NÚMERO DE SOBRES: 1 sobre para la temporada.
* DIMENSIONES DE LA MACETA: 20 cm de diámetro.
* CUÁNDO SEMBRAR: de mayo a junio.
* TIERRA: fácil de trabajar y enriquecida.
* CUÁNDO RECOLECTAR: 3 meses y medio después de la siembra.

Sembrar con éxito la remolacha

Si siembra la remolacha de mesa entre marzo y abril, en un miniinvernadero con calefacción, deberá trasplantarla a su maceta definitiva cuando tenga 4 o 5 hojas. Pero el inicio del crecimiento de los plantones es aleatorio, y, obligatoriamente, deberá cortar las hojas y las raíces y después aplicar a estas últimas un abono o alguna sustancia protectora para que todo juegue a su favor. Así pues, se recomienda encarecidamente sembrarla directamente en su maceta a partir de mayo, o, como mínimo, cuando no exista ningún riesgo de heladas nocturnas. Para sembrar remolacha, es muy importante saber ser paciente, porque un poco de frío al inicio del cultivo las lleva a producir rápidamente un tallo floral y a que no engorde la raíz. Sería toda una lástima, porque es precisamente lo que nos interesa...
Si la siembra le asusta, y dado que la remolacha es una hortaliza de raíz que puede trasplantarse, puede adquirir plantones en macetas y plantarlos en sus contenedores definitivos en abril o en mayo.

1 La remolacha es golosa. Una semana o dos antes de plantarla en su maceta no dude en añadir un poco de guano a la mezcla de tierra. Se trata de un abono orgánico natural, rico en fósforo y en potasa, que la planta agradecerá.

2 Las semillas de remolacha son lo bastante grandes como para cogerlas con los dedos y colocarlas en las macetas. En el centro de la maceta, que habrá llenado con la mezcla de tierra, coloque 3 semillas en triángulo, separadas unos 3 o 4 cm.

3 Húndalas con el dedo, pero no demasiado, porque deben quedar cubiertas con 1 cm de sustrato como máximo.

4 Compáctelo bien para que las semillas estén en contacto con el sustrato, y riegue inmediatamente. Brotarán en unos quince días.

Cuando las plántulas midan aproximadamente 5 cm, arranque las dos más raquíticas. De hecho, sería ilusorio creer que tres remolachas pueden crecer unidas unas a las otras. Basta con sujetar entre el pulgar y el índice, por la base, las plántulas que quiera arrancar y levantarlas. Compacte con los dedos la tierra alrededor de la plántula que haya conservado, porque puede haber quedado ligeramente levantada al arrancar las otras. Riegue inmediatamente.

>REMOLACHA

LA MEJOR MACETA

La remolacha de mesa ocupa mucho espacio durante varios meses. Así, es preferible colocarla en macetas individuales. Opte por contenedores de más de 20 cm de diámetro, a los que deberá añadir una capa de sustrato de una profundidad más o menos equivalente, sin contar la capa drenante. Las macetas de terracota servirán, pero la remolacha también puede desarrollarse en un viejo cubo de metal o en un contenedor de plástico.

LA MEJOR TIERRA

Aunque la remolacha no es exigente en cuanto al tipo de suelo en el que crecer, dará mejores resultados en una tierra ligera y fresca en verano. Es muy golosa, por lo que deberá cultivarla en un mantillo «para plantar» enriquecido con compost y aligerado con la misma cantidad de arena. Una mezcla de tierra con poliestireno (para que sea más ligera) también resultará de su agrado.

EL MEJOR MANTENIMIENTO

La remolacha crece sola, de forma regular, siempre que la raíz no sufra las consecuencias de la falta de agua. Así pues, riéguela cada día para evitar que la raíz se endurezca o se torne fibrosa hasta el punto de resultar incomestible, o que pierda el sabor dulce. Si crecen «malas hierbas» en la maceta, arránquelas antes de que hagan competencia a la remolacha. Cuando tenga ocasión, mueva las macetas para que el follaje permanezca al sol y el mantillo a la sombra.

EL CONSEJO DEL PROFESIONAL

Del mismo modo que las clemátides, la remolacha de mesa requiere sol, pero la raíz debe estar fresca. Así, en un balcón, se debe proteger el sustrato del calor intenso. Primero, cubriendo la superficie con una tela de yute, una capa de lana o de otro material, pero también colocando la maceta a la sombra de una jardinera, de otra maceta o de cualquier otro objeto que evite su sobrecalentamiento.

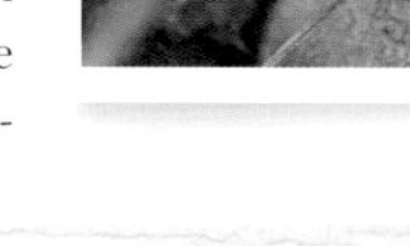

LAS MEJORES COMBINACIONES

Estos mismos requisitos de cultivo pueden servir en el caso de la lechuga «para cortar» y de los rabanitos, que puede sembrar alrededor de la maceta. Su follaje proporcionará sombra al sustrato y podrá ahorrarse el acolchado.

LA RECOLECCIÓN

Puede empezar 3 meses y medio después de la siembra. Arranque las raíces a medida que las vaya necesitando, y, en cualquier caso, antes de las primeras heladas. Se arrancan fácilmente agarrando las plantas por la base del follaje. Sin embargo, es preferible levantar la raíz con una pequeña horca de jardín para evitar arrancar al mismo tiempo las lechugas o los rábanos que se hayan plantado en la misma maceta.

TRUCO CULINARIO

Estamos tan acostumbrados a consumir (e incluso comprar) las remolachas cocidas, frías, con salsa vinagreta, que algunos jardineros neófitos no saben cómo son las remolachas crudas. Y es una lástima, porque cuando se ralla y se consume cruda, mezclada, por ejemplo, con zanahorias y manzanas, es una hortaliza excelente. Pruébela también, siempre rallada fina, combinada con una ensalada de canónigos.

DAUCUS CAROTA

Zanahoria

Una jardinera grande será suficiente

La zanahoria se cultiva con facilidad en una jardinera, siempre y cuando esta sea lo bastante profunda para permitir el desarrollo de las raíces. Además, a la zanahoria le gustan las tierras blandas y poco compactas, como a la mayoría de las plantas que se cultivan en maceta.

VARIEDADES

Las variedades de raíces esféricas («Parmex»), cortas («Mignon») o semicortas («Julia» o «Migo») maduran más con mayor rapidez. Si es amante de la originalidad, compre sobres que incluyan distintas variedades de zanahorias de colores originales (blanco rosado, violeta, amarillo...).

Entre las variedades de raíces tradicionales, quédese con «Juwarot», «Turbo» y «Rothild»: su sabor jugoso y dulce le gratificará cuando las consuma crudas.

Bloc de notas

- EXPOSICIÓN: semisombra.
- NÚMERO DE SOBRES: 1 sobre para la temporada.
- DIMENSIONES DE LA MACETA: jardinera grande de 40 × 40 cm.
- CUÁNDO SEMBRAR: de abril a julio.
- TIERRA: blanda, con arcilla.
- CUÁNDO RECOLECTAR: 3 meses después de la siembra.

Zanahorias:
1. «Parmex».
2. «Mignon».

Sembrar con éxito las zanahorias

1 La zanahoria solo se reproduce por semillas, lo cual significa que no encontrará plantones de zanahoria. Así, deberá comprar un sobre de semillas, que después tendrá que sembrar en una jardinera.

2 Al contrario que algunas hortalizas, que deben sembrarse primero en una terrina, arrancarse y después plantarse en el lugar definitivo, la zanahoria se siembra directamente en el lugar donde crecerá y se recolectará.

3-4 Las semillas de zanahoria son muy pequeñas. Resulta conveniente utilizar un pequeño semillero manual para evitar formar montones, y sembrar las semillas en un surco de 1 cm de profundidad como máximo, para facilitar el inevitable aclareo.

5 Recubra con mantillo y compacte la tierra con el dorso de la mano o con una caja de cerillas. Para ahuyentar a la mosca llamada de la zanahoria, que suele poner sus huevos en los sembrados, espolvoree el surco con café molido usado después de haberlo compactado.

6 Riegue a modo de lluvia fina, después de arrancar los plantones sobrantes de cada hilera (aclareo). Para ello, basta con sujetar por la base la plántula o plántulas entre el pulgar y el índice y levantarlas. Compacte con los dedos la tierra alrededor de las plántulas conservadas, porque pueden haber quedado ligeramente levantadas al arrancar alguna de las otras. Cuando las plántulas alcancen de 4 a 5 cm de altura, aclárelas para conservar solo una cada 7 u 8 cm.

> ZANAHORIA

LA MEJOR MACETA

A la zanahoria le gusta la tierra blanda, por tanto, es preferible cultivarla en una jardinera grande, de 40 x 40 cm como mínimo, donde el sustrato se compactará mucho menos. Procure, del mismo modo, ofrecerle una profundidad de mantillo de 30 cm como mínimo, sin contar la capa drenante.

LA MEJOR TIERRA

Las zanahorias agradecen las tierras ligeras y arenosas. Los mantillos para trasplantar son perfectos. Si no dispone de ellos, un mantillo «para plantar» mezclado (la mitad) con arena también puede resultar útil. En cambio, la zanahoria no tolera la presencia de materias orgánicas mal descompuestas. Atención, pues, con los mantillos que contengan compost del que desconozca su estado de descomposición. Una mezcla de tierra aligerada con poliestireno también es una buena elección.

EL MEJOR MANTENIMIENTO

Después del aclareo, la zanahoria crece sola. Basta con mantener la tierra fresca mediante riegos frecuentes hasta que se produzca la recolección para que las raíces no queden huecas.

EL CONSEJO DEL PROFESIONAL

Para evitar el aclareo, compre semillas en cintas de siembra. Se trata de unas semillas dispuestas regularmente y con un espaciado predefinido entre dos tiras de papel biodegradable. Basta con colocar la cinta en el surco y cubrirlo con mantillo. Puede cortarlas con los dedos a la longitud deseada.

Si crecen «malas hierbas» cerca del sembrado, arránquelas antes de que se conviertan en serias competidoras para las zanahorias. De lo contrario, coloque la jardinera al sol, al menos durante la mitad del día.

LAS MEJORES COMBINACIONES

Plante las zanahorias al pie de las tomateras, por ejemplo, o, todavía mejor, con las lechugas, ya que su follaje proporcionará una sombra que resultará muy beneficiosa al mantillo, e impedirá que se seque. De hecho, las raíces quedan rápidamente huecas cuando sufren una alternancia de periodos secos y húmedos.

TRUCO CULINARIO

Puede añadir las zanahorias ralladas finas a sus ensaladas de verano, o incluso a un plato de guisantes después de haberlas cocido a fuego lento al vapor, controlando su cocción con la punta de un cuchillo para consumirlas al dente.

S.O.S.

A menudo, las zanahorias son atacadas por una pequeña mosca (llamada *mosca de la zanahoria*) que pone sus huevos en la base de los brotes jóvenes que salen de tierra. Así, los gusanos crecen perfectamente protegidos en la raíz... Para disuadir a esta indeseable de instalar a su prole en su balcón, espolvoree café molido usado en el surco, justo después de la siembra. Eficacia garantizada.

LA RECOLECCIÓN

Calcule unos 3 meses entre la siembra y el inicio de la recolección. Arranque simplemente las zanahorias a medida que las vaya necesitando, empezando por las raíces más desarrolladas. Como la tierra está blanda, el arrancado se realiza fácilmente sujetando las plantas por la base del follaje. Sin embargo, si en alguna ocasión el mantillo parece compactado hasta el punto de «no querer soltar» la zanahoria, agárrela con una mano y con la otra levante la raíz con una pequeña horca de jardín.

▽ En verano, las zanahorias forman parte de las verduras necesarias para consumir en crudo.

Col

Muy decorativa

En la terraza, las coles juegan, sobre todo, un papel decorativo, con sus grandes hojas de un color a menudo verde azulado. No por ello dejarán de ser comestibles, y podrán utilizarse en dos o tres platos originales, porque abundan las recetas a base de esta hortaliza.

VARIEDADES

La col, en realidad, no es una planta ideal para cultivar en un huerto de balcón, pero entre las numerosas especies existentes es posible cultivar al menos dos, aunque solo sea por su vertiente decorativa y visual. Se trata del repollo y de la col rizada. En el caso del repollo, recuerde las variedades «Candisa», de sabor dulce; «Charmant»,

Bloc de notas

* EXPOSICIÓN: a pleno sol, sur o suroeste.
* NÚMERO DE SOBRES: 1 sobre para la temporada, o de 1 a 3 plantones en maceta de turba.
* DIMENSIONES DE LA MACETA: 1 jardinera de 40 × 40 cm.
* CUÁNDO SEMBRAR: de febrero a mayo.
* TIERRA: rica, con arcilla o tierra de jardín.
* CUÁNDO RECOLECTAR: 4 meses después de la siembra.

Coles:
1. «Redbor».
2. «Salarite».
3. «Charmant».

Sembrar con éxito las coles

La col es una hortaliza que se multiplica por semillas. Para su cultivo en el balcón, hay que escoger entre las variedades de coles repollo, llamadas *de primavera*, es decir, que se siembran en febrero o en marzo en un miniinvernadero y que se trasplantan a su maceta en el exterior seis semanas después. La col rizada se siembra dos meses más tarde, para colocarla fuera también seis semanas después.

1. Siembre algunas semillas en macetas de turba, en el miniinvernadero, sin encender la calefacción, pero dentro de casa.
2. Coloque de 3 a 5 semillas por maceta, en la superficie del mantillo.
3. Cúbralas con una fina capa del mismo sustrato.
4. Compáctelo firmemente con la palma de la mano.
5. Riegue inmediatamente. Las semillas brotarán en algunos días.
6. En cuanto las plántulas salgan de la tierra, coloque el miniinvernadero frente a una ventana para que reciban el máximo de luz.

de follaje verde azulado; o «Salarite», de hojas gofradas. Entre las variedades de la col rizada, pruebe «Verde semienana», pero sobre todo «Redbor», de follaje púrpura.

LA MEJOR MACETA

Todas las coles son grandes plantas de huerto que ocupan mucha superficie. Lo ideal es cultivarlas en un contenedor individual de 40 x 40 cm como mínimo, para que puedan crecer a voluntad, aunque sobresalgan de la maceta. Deben disponer de un contenedor de una profundidad de 40 cm como mínimo, sin contar la capa drenante.

LA MEJOR TIERRA

A las coles les gustan las tierras ricas y profundas, pero consistentes. Así, los mantillos básicos no son demasiado adecuados. Es preferible plantarlas en un mantillo con arcilla o tierra vegetal (fíjese bien en la composición en la parte posterior del saco) o, si no se dispone de ellos, en un sustrato compuesto por mitad de mantillo de plantación y mitad de tierra de jardín procedente del jardín de algún amigo. Las coles sienten predilección por los fertilizantes a base de nitrógeno, sobre todo al inicio de su desarrollo. Así, es recomendable añadir harina de pluma a la mezcla

EL CONSEJO DEL PROFESIONAL

Cuando los plantones alcancen de 3 a 5 cm, elimine los menos fuertes para conservar solo el mejor. Este aclareo facilitará el desarrollo del plantón que haya conservado. Sujete las plántulas que quiera arrancar entre el pulgar y el índice y levántelas. Si al hacerlo levanta ligeramente el plantón restante, no ocurre nada; al contrario, esto le obligará a producir aún más raíces, que le permitirán alimentarse bien y, por tanto, desarrollarse mejor. Riegue justo después para que la mezcla de tierra esté bien en contacto con las raíces.

Plantar la col en macetas

En primavera, en las tiendas de jardinería o en los lugares de venta por correspondencia, ya se encuentran plantones de col que se comercializan en macetas de plástico. Es una buena solución para evitar las dificultades de la siembra.
Cubra la superficie de la mezcla de tierra con un producto de acolchado para retener el frescor que necesita la col durante el periodo estival.

El éxito de la plantación de la col en una maceta pasa por el correcto desarrollo de sus raicillas, esas raíces que los jardineros llaman *cabellera*. Así, si ya son visibles alrededor del terrón al sacar la maceta, procure no dañarlas. O, mejor aún, sepárelas delicadamente para que ocupen con más rapidez su nuevo entorno. Si estas valiosas raíces no se ven, rasque alrededor del terrón para que aparezcan, y sumérjalo en una sustancia protectora de las que venden en las tiendas.

de tierra un mes antes de plantar las coles. Se trata de un abono orgánico que libera nitrógeno progresivamente a lo largo del periodo de crecimiento de las hortalizas.

EL MEJOR MANTENIMIENTO

Deje la tapa del miniinvernadero entreabierta y mantenga húmedo el mantillo para que las raíces puedan alimentarse del abono que haya añadido. Un mes y medio después de la siembra, saque las macetas del miniinvernadero para colocarlas en el balcón, en su contenedor definitivo. Es muy probable que las raíces de los plantones hayan empezado a traspasar las paredes de las macetas de turba. Es una buena señal de vitalidad. Aun así, pince los plantones con las uñas antes de plantarlos en la jardinera. Así, les obligará a desarrollar todavía más raíces, lo cual resultará beneficioso. Realice un hoyo en el sustrato de la jardinera y coloque la maceta en el fondo. Puede enterrar la base del tallo de la col hasta las primeras hojas. Vuelva a tapar el hoyo, compacte bien la tierra y riegue abundantemente.

TRUCO CULINARIO

La col tiene fama de provocar flatulencias desagradables. Para evitar estas molestias, añada simplemente algunas semillas de comino en el agua de cocción. Así, la col se digerirá mejor y, además, no deberá soportar durante una semana su olor en casa.

LAS MEJORES COMBINACIONES

La col es una buena compañera para muchas hortalizas de balcón, como los calabacines, los canónigos, las lechugas, las judías, los tomates, las remolachas... Por otro lado, le gusta estar cerca de plantas muy aromáticas, como el romero, la menta o el tomillo, que ahuyentan o disuaden a muchos parásitos de la col. En cambio, la col y la fresa son malas compañeras. No solo no se deben cultivar en la misma jardinera, sino que se debe evitar colocar una jardinera de fresas al lado de una de coles. Prevea un espacio de 60 cm como mínimo entre estas dos enemigas.

▽ **Las coles y las acelgas figuran entre las hortalizas de hoja más decorativas.**

LA RECOLECCIÓN

Puede empezar a partir de junio o julio, es decir, unos 4 meses después de la siembra. No obstante, puede optar por dejar las coles tal cual, y valorarlas por su interés decorativo.

• **El repollo** se recolecta simplemente cortando el tallo, que se encuentra debajo del repollo, a ras de suelo, con un cuchillo.

• **La col rizada** se recolecta según sus necesidades, hoja a hoja, rompiendo cada hoja por la base de la planta y tirando de un golpe seco hacia abajo. Algunos jardineros afirman que sabe mejor cuando sufre las primeras heladas. Como muchas hortalizas, es preferible consumirla pocas horas después de haberla recolectado.

S.O.S.

Las coles parecen atraer a las mariposas blancas. Seguramente, la presencia de estos insectos en el balcón resultará agradable, sobre todo porque contribuyen a la polinización de las hortalizas de flor, como los tomates o las berenjenas, pero el problema es que no desaprovechan la oportunidad de instalar a sus crías en la col. No hace falta sacar el kit del pequeño químico, simplemente hay que mirar cada día debajo de las hojas de las coles. Así podrá descubrir los pequeños huevos blancos, apretados entre sí. Bastará con aplastarlos con el dedo.

El colinabo y la col de follaje púrpura encontrarán su propio espacio en un balcón soleado. ▷

ALLIUM SCHOENOPRASUM

Cebollino

Apto para todos los platos

El cebollino es una planta herbácea que se utiliza como condimento y que mide unos 30 cm de altura. Produce numerosas hojas huecas y cilíndricas, finas, que forman una mata elegante. Se cultiva muy bien en maceta o en jardinera. La clave del éxito de su cultivo radica en mantener un sustrato lo bastante fresco, porque no tolera ni la sequía ni el exceso de humedad. En invierno pierde las hojas, pero vuelven a surgir aún más bonitas durante la primavera siguiente.

Bloc de notas

* EXPOSICIÓN: soleada, de sur a oeste.
* NÚMERO DE SOBRES: 1 sobre por temporada, o un plantón para todo el año.
* CUÁNDO SEMBRAR: en marzo-abril.
* TIERRA: fresca.
* DIMENSIONES DE LA MACETA: 15 cm de diámetro.
* CUÁNDO RECOLECTAR: 4 meses después de la siembra, o un mes después de la plantación.

VARIEDADES

Prácticamente solo se encuentra el tipo botánico, aunque en algunos catálogos especializados quizás tenga la suerte de encontrar la variedad «Polycross», más vigorosa y, sobre todo, más temprana en primavera.

La cebolleta es una planta que se asemeja, aunque en realidad se trata de otra especie (*Allium fistulosum*). Sus hojas son mucho más grandes que las del cebollino y pueden alcanzar 60 cm de altura. «Totem» es la única variedad interesante para el balcón, ya que sus hojas permiten realizar bonitos círculos pequeños para la decoración de los platos.

LA MEJOR MACETA

El cebollino agradece estar en contenedores donde la profundidad del sustrato no supere los 15 cm. Por otro lado, para conservar el tronco de un año para otro y permitirle resistir las intensas heladas, es preferible cultivarlo en una maceta de 20 cm de diámetro como mínimo. También resulta más práctico plantarlo solo en una maceta. Así, no

Plantar el cebollino en una maceta o en un contenedor

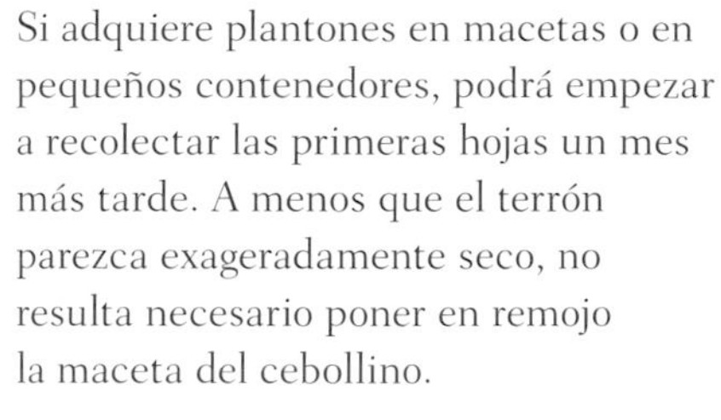

Si adquiere plantones en macetas o en pequeños contenedores, podrá empezar a recolectar las primeras hojas un mes más tarde. A menos que el terrón parezca exageradamente seco, no resulta necesario poner en remojo la maceta del cebollino.

1 Disponga un lecho de bolas de arcilla en el fondo de la maceta para el correcto drenaje del sustrato después de cada riego. Prevea un grosor de una quinta parte de la altura de la maceta.

2 Extienda una capa de sustrato sobre las bolas de arcilla.

3 Saque el contenedor y rasque las raíces visibles en el contorno del terrón, con un tenedor o un pequeño cultivador de jardín. Esta operación facilitará que recupere el crecimiento.

4 Coloque el terrón en la maceta. La parte superior del terrón debe quedar 1 o 2 cm por debajo del borde de la maceta. Rellene con mantillo alrededor del terrón. Compacte con los dedos el mantillo que haya añadido, no el terrón, para permitir un buen contacto con las raíces.

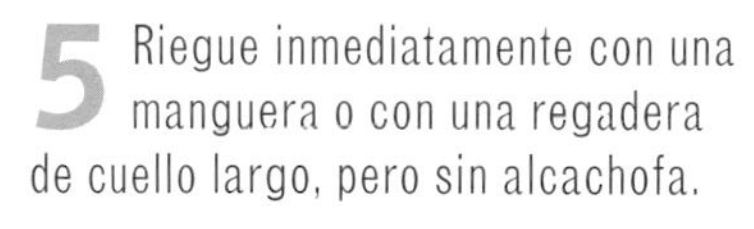

5 Riegue inmediatamente con una manguera o con una regadera de cuello largo, pero sin alcachofa.

molestará cuando deba cambiar el sustrato. Las macetas de terracota constituyen el contenedor ideal.

LA MEJOR TIERRA

La única exigencia del cebollino en cuanto al sustrato es el frescor. Los mantillos que venden en las tiendas, del tipo «para plantar» o «para huerto», utilizados tal cual, son adecuados la mayoría de las veces, siempre y cuando contengan arcilla para una mejor retención del agua. Pero atención: es imprescindible colocar una capa drenante en el fondo de la maceta para evitar cualquier acumulación de agua, que provocaría la putrefacción de los plantones.

EL MEJOR MANTENIMIENTO

El cebollino es una planta poco complicada, que no exige nada. Simplemente con añadir virutas de cuerno en primavera aportará la cantidad de nitrógeno necesaria para su desarrollo durante toda la temporada. Mantenga fresco el mantillo, sin anegarlo.

LAS MEJORES COMBINACIONES

El cebollino no soporta las plantas de la familia de las fabáceas. Así, evite plantarlo cerca de judías, guisantes o habas. En cambio, puede plantarlo sin problemas al lado de las zanahorias.

Mi cebollino se pone amarillo.
No empape el mantillo cuando lo riegue. Es la primera causa de que el follaje amarillee. Si es el caso, elimine las hojas amarillas y no riegue hasta que la planta recupere su aspecto normal.

Sembrar con éxito el cebollino

El cebollino es una planta que se usa como condimento y que se encuentra fácilmente en forma de plantones en macetas. Para sacarle rápidamente provecho, compre 1 o 2 de estos plantones, en lugar de plantearse sembrarlo, una técnica reservada, sobre todo, para la obtención de variedades imposibles de encontrar en plantones. Si siembra, hágalo in situ, en el balcón, allí donde el cebollino vaya a crecer y donde lo vaya a recolectar.

1 Utilice un semillero pequeño de mano para evitar formar montones con las pequeñas semillas. Después, distribuya las semillas por la maceta, en la superficie del mantillo.

2 Cubra las semillas con una fina capa de mantillo sin grumos, y compáctelo con el dorso de la mano.

3 Riegue inmediatamente en forma de lluvia y mantenga el suelo fresco. Las semillas brotarán al cabo de dos semanas aproximadamente.

4 Cuando las plántulas presenten 4 o 5 hojas, proceda al aclareo, una operación que consiste en arrancar los plantones sobrantes para conservar solo uno o dos, los más fuertes. Coja por la base las plántulas que quiera arrancar, entre el pulgar y el índice, y levántelas.

5 Compacte, con los dedos, la tierra alrededor de las plántulas conservadas, porque pueden haber quedado ligeramente levantadas al arrancar las plántulas vecinas.

Para ir más rápido y evitar el aclareo, también puede utilizar semillas en cápsulas presembradas. Se trata de unas semillas dispuestas de forma regular y con un espaciado predefinido en un soporte de papel biodegradable de 8 cm de diámetro. Basta con colocar la cápsula en el sustrato, regarla y cubrirla con una fina capa de mantillo. Producirá una mata tupida, que deberá dividir durante la primavera siguiente para obtener dos o más plantas.

LA RECOLECCIÓN

Recolecte a medida que lo vaya necesitando. De hecho, las recolecciones pueden ser sucesivas y completas a lo largo del año, con lo cual la planta tendrá cada vez más vigor. Como se regenera después de cada recolección, se aconseja cortar siempre las hojas a ras de mantillo. En la siguiente ocasión, deberá coger las hojas que no tomó la primera vez, con lo que potencia la aparición de nuevas hojas tiernas con respecto al primer corte.
Para cortar las hojas, utilice un par de tijeras normales, de podar o un cuchillo bien afilado.

TRUCO CULINARIO

Abuse del cebollino en la cocina. No solo aromatiza las vinagretas, sino que también aporta sabor a las sopas, a las tortillas e incluso a las carnes rojas. Así evitará abusar de la sal.

▽ Aquí, el cebollino se cultiva solo en una maceta. Su follaje desaparece en invierno y vuelve a surgir cada año en primavera.

Calabacín

Recójalo joven y tierno

El calabacín es una de las plantas más espectaculares del balcón, tanto por su envergadura como por la diversidad de sus frutos, formas y colores inesperados. Un único pie basta generalmente para animar y adornar un rincón de la terraza. ¡No puede pasar sin él!

VARIEDADES

Para el cultivo en maceta, y sobre todo en un balcón o una terraza, donde cada metro cuadrado es importante, se deben elegir variedades llamadas «no corredoras». No es que exista peligro de que estas variedades salgan por el balcón, como su nombre parece indicar, sino que pueden producir tallos muy largos que podrían invadir a las plantas de alrededor y, quizás incluso, las del balcón vecino...

Recuerde los nombres «Eight Ball», temprana y con originales frutos redondos, verde oscuro; o «One Ball», de frutos de color amarillo dorado; o también «Sunny», con frutos de forma clásica pero cuya longitud no supera los 10 a 15 cm.

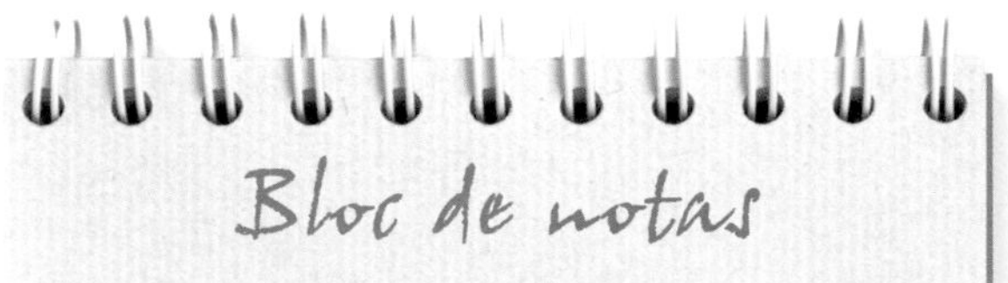

* EXPOSICIÓN: pleno sol, sur.
* NÚMERO DE SOBRES: 1 sobre por temporada, o 1 plantón.
* DIMENSIONES DE LA MACETA: jardinera grande de 50 cm de lado como mínimo.
* CUÁNDO SEMBRAR: de marzo a mayo.
* TIERRA: con humus y fresca.
* CUÁNDO RECOLECTAR: 2 meses después de la siembra.

◁ Calabacín «One Ball».

Sembrar con éxito los calabacines

Los calabacines se reproducen por semillas. Proceden de América del Sur, por lo que no toleran las temperaturas demasiado frías de la primavera. Así, deberá sembrarlos en un miniinvernadero en el interior de casa, antes de plantarlos en su maceta en la terraza, cuando no exista ningún riesgo de heladas, generalmente en mayo. Calcule de tres a cuatro semanas entre la siembra y la plantación en la jardinera. Así, en las regiones donde la primavera es fresca, deberá esperar hasta finales de mayo para colocarlos fuera. La siembra debe realizarse, entonces, a finales de abril en el mejor de los casos. Si nos encontramos en regiones más cálidas, se podrán sacar antes y, por consiguiente, se deberán sembrar antes.

1 Siembre los calabacines en macetas de turba rellenas de mantillo para siembra, y colóquelas en un miniinvernadero, en una habitación de la casa o en un porche.

2 Las semillas son suficientemente grandes como para cogerlas una a una con los dedos. Introduzca tres semillas por maceta, en triángulo, espaciadas unos 2 o 3 cm, hasta 1 cm de profundidad. El sentido no importa.

3-4 Compacte y riegue para humedecer bien el sustrato. Cierre el miniinvernadero.

5 Las semillas brotarán en una semana, aproximadamente. Cuando llegue el momento, acerque el miniinvernadero a una ventana. Manténgalo entreabierto, y déjelo así hasta que lleve a cabo la plantación en el balcón.

En cuanto aparezcan 4 hojas, arranque, de cada maceta, los dos plantones más débiles para facilitar el desarrollo del que quede. Agárrelos por la base y levántelos. Compacte con los dedos la tierra de alrededor del plantón conservado, porque puede haberlo levantado ligeramente al arrancar los otros. Riegue inmediatamente para que el sustrato vuelva a estar bien en contacto con las raíces.

> CALABACÍN

EL CONSEJO DEL PROFESIONAL

Al ser de crecimiento rápido, el calabacín puede sembrarse también en el balcón, en su jardinera definitiva, pero a partir de abril o de mayo, según la región, para que no esté sometido a temperaturas inferiores a 5 °C. Y para ahorrarse las dificultades de la siembra, puede comprar plantones en macetas directamente en los centros de jardinería, e instalarlos en los mismos periodos que los plantones procedentes de su propia siembra.

LA MEJOR MACETA

Al contrario que la berenjena, el calabacín dispone de un sistema radicular más horizontal que dirigido hacia abajo. En el balcón, por tanto, estará mejor en un viejo barreño metálico o en una pila de 50 a 60 cm de diámetro, con simplemente de 20 a 30 cm de sustrato, que en una maceta de terracota. Además, así el contenedor será mucho más estable, teniendo en cuenta el tamaño de las hojas de la planta.

LA MEJOR TIERRA

A los calabacines les gustan las tierras ricas en materia orgánica. Un mantillo regenerador que incluya a la vez tierra, materia orgánica y compost será perfecto. Si no dispone de este tipo de mantillo, también crecerá bien en una mezcla al 50 % de tierra de jardín y de compost.

EL MEJOR MANTENIMIENTO

Mantenga el mantillo fresco para que los plantones se desarrollen con continuidad. Si los plantones llegan a tocar la tapa del miniinvernadero, ábralo completamente para evitar la formación de moho en las hojas. A partir de ese momento, saque cada día el miniinvernadero al balcón durante las mejores horas del día para que los plantones se aclimaten. A partir de abril en las zonas más templadas, y no antes de mediados de mayo en las más frías, plante los calabacines en su jardinera definitiva, con su maceta de turba. La superficie de la maceta puede enterrarse unos 2 o 3 cm. Riegue abundantemente, siempre al pie de la planta, para evitar la aparición de oídio en las hojas. Recurra al acolchado para retener la humedad. Para ello, puede utilizar un trozo de tela de yute, que, en poco tiempo, será de poca utilidad, puesto que quedará cubierto por la exuberante vegetación de la planta. Coloque la jardinera de forma que reciba el máximo de sol. Atención: un riego regular durante todo el verano es la única garantía para obtener muchos frutos.

LA RECOLECCIÓN

Entre la siembra y el inicio de la recolección de los calabacines no transcurren más de dos meses. Se van recogiendo a medida que se van necesitando, antes de que sean demasiado grandes. Cuantos más recolecte, más flores nuevas producirá la planta para sustituir los frutos que faltan. Tome el fruto con una mano y corte con la otra el pedúnculo con la ayuda de unas tijeras de podar o con un cuchillo.

S.O.S.

Las flores hembra no producen frutos. Seguramente en su jardín no hay los insectos necesarios como para favorecer la polinización de las flores, así que deberá hacerlo usted mismo. Hágalo por la mañana: tome una flor macho y arránquele los pétalos. Frote los estambres contra el pistilo de una o de varias flores hembra (reconocibles por la hinchazón debajo de los pétalos). Si aparecen frutos, sabrá que la fecundación fue satisfactoria.

TRUCO CULINARIO

En el calabacín, tanto las flores macho como las flores hembra producen frutos, de modo que las flores macho se pueden comer. Aunque no todas; deben quedar algunas para fecundar a las flores hembra. Recoja las flores por la mañana para que estén bien abiertas. Retire el pistilo con los dedos, sin romper la flor. Póngalas del revés, sobre un paño, para que se sequen. Prepare una pasta de buñuelos, ponga las flores dentro y fríalas rápidamente. Éxito garantizado en el aperitivo para sustituir a las patatas fritas.

▽ El calabacín de frutos pequeños gana si se planta con una espaldera, y, además, le permitirá disfrutar de más vegetación florida.

Haba

¡Se puede consumir cruda!

El haba es una hortaliza originaria de la cuenca mediterránea, aunque actualmente se cultiva en todo el mundo y se siembra en otoño. La puede plantar en todo el balcón, donde, como mínimo, presentará el interés de ser una de las primeras hortalizas de fruto de la temporada...

VARIEDADES

Existen pocas variedades de habas. «The Sutton» es una variedad que no supera los 40 cm de altura, lo que resulta interesante para el balcón. «Trois Fois Blanche», «Muchamiel» o «Aguadulce» son variedades especialmente valoradas.

Bloc de notas

* EXPOSICIÓN: sol, sur u oeste.
* NÚMERO DE SOBRES: 1 caja para la temporada.
* DIMENSIONES DE LA MACETA: cualquier maceta de 30 cm de diámetro.
* CUÁNDO SEMBRAR: en febrero-marzo.
* TIERRA: arcillosa y fresca.
* CUÁNDO RECOLECTAR: 3 o 4 meses después de la siembra.

◁ Haba «The Sutton».

Haba «Trois Fois Blanche». ▷

LA MEJOR MACETA

Cuando se planta directamente en la tierra, el haba crece en los terrenos frescos, sobre todo pesados, e incluso arcillosos, pero bastante blandos en profundidad para poder hundir sus raíces. En el balcón o en la terraza, proporcionarle una tierra blanda en profundidad no es problema, ya que cualquier contenedor con una profundidad de mantillo de 30 cm como mínimo, más la capa drenante, será suficiente. Los de paredes impermeables, de metal o de plástico, serán incluso sus preferidos, porque retienen mejor la humedad que los de madera.

LA MEJOR TIERRA

Nuestra haba no siente predilección por los suelos demasiado ricos en materia orgánica. Así, su cultivo en un mantillo del que venden en las tiendas puede resultarle poco favorable debido a su contenido en compost. Será mejor que busque un mantillo que lleve obligatoriamente arcilla, y luego mézclelo a partes iguales con una buena tierra de jardín que pueda conseguir del huerto de algún amigo. Este requisito seguramente le obligará a cultivar las habas solas en su maceta, porque a pocas plantas les gustará un sustrato así.

Sembrar con éxito las habas

Las habas se multiplican por siembra, directamente en el sitio donde crecerán y producirán sus frutos. Como son muy resistentes al frío, e incluso a las heladas hasta –3 °C, puede sembrarlas a partir de febrero o de marzo, en la medida en que el sustrato no esté helado.

1 Las semillas de haba son como habichuelas grandes. Siembre 3 semillas en triángulo, bien espaciadas, por cada maceta de 30 a 40 cm de diámetro.

2 La mejor solución consiste en practicar 3 hoyos de 5 cm de profundidad con dos dedos y dejar caer cada semilla plana.

3-4 Tápelo, compáctelo con los dedos y riegue para humedecer bien el sustrato.

Las semillas brotarán en unos 8 o 10 días; su rapidez dependerá de si tomó la precaución de poner las semillas en remojo en agua tibia la noche anterior a la siembra.

EL CONSEJO DEL PROFESIONAL

En mayo o junio, corte los tallos con unas tijeras de podar, o píncelos con los dedos, por encima del quinto grupo de flores. Esta «poda» favorece el desarrollo de las vainas en las flores que ya hayan aparecido y acelera su madurez. También evita los ataques de los pulgones, casi inevitables en estas plantas, que solo se producen en los extremos tiernos.

EL MEJOR MANTENIMIENTO

Un mes después de brotar, las plantas alcanzan unos 30 cm de altura. Si se trata de una variedad que supera los 50 cm, resulta conveniente plantar un tutor de bambú con cada plantón. Así, las ramas podrán apoyarse en él y resistirán mejor los embates del viento.

LA RECOLECCIÓN

La recolección suele producirse 3 o 4 meses después de la siembra. En el balcón no habrá suficientes pies de haba para poder preparar un potaje o un puré. Así, es mejor ir recolectándolas antes de que maduren completamente, cuando las vainas todavía estén bien verdes y abolladas. Las que maduran primero son las de la parte inferior de la planta. Recoja las vainas una a una, rompiendo el pedúnculo que las une a la planta.

TRUCO CULINARIO

Cuando se recolectan a medio madurar, las habas crudas resultan deliciosas, sin la piel gruesa que las envuelve y sazonadas con sal fina.

En julio, los pies de habas que se hayan recolectado recientemente convivirán muy bien con los plantones de tomates en flor. ▷

FRAGARIA SPP.

Fresa

Protéjala de los pájaros

Aunque las fresas se consideren una fruta, no pueden faltar en un huerto de hortalizas, incluso de balcón. Esta planta, de fácil cultivo, sabe recompensarnos con una fructificación que perdura durante gran parte de la temporada.

VARIEDADES

En un balcón, es más interesante ir recogiendo las fresas durante varios meses que efectuar una única recolección durante quince días en primavera. Así, son preferibles las variedades como «Annabelle», que produce grandes frutos de forma regular, y «Reina de los Valles», que tiene unos frutos pequeños con sabor a fresas silvestres, que se recolectan de mayo a octubre.

Bloc de notas

- **EXPOSICIÓN:** a pleno sol.
- **NÚMERO DE PLANTONES:** 6 plantones.
- **DIMENSIONES DE LA MACETA:** 2 jardineras de 50 cm de largo.
- **CUÁNDO PLANTAR:** de agosto a octubre.
- **TIERRA:** rica, blanda y fresca en verano.
- **CUÁNDO RECOLECTAR:** 10 meses después de la plantación.

LA MEJOR MACETA

Las fresas no son plantas que exijan una tierra profunda. Así, se pueden cultivar y recoger frutos en una simple jardinera como las utilizadas en los alféizares de las ventanas para los geranios. Suelen medir 50 cm de largo, y pueden albergar perfectamente tres plantones de fresas. Evite los contenedores impermeables, ya que no permiten que el sustrato respire lo suficiente.

LA MEJOR TIERRA

A la fresa le gustan los suelos ricos en materia orgánica. Así, el cultivo con mantillo le resultará ideal. Utilice un mantillo «para plantar» enriquecido con compost. Si no lo encuentra, emplee un mantillo para trasplantar o un mantillo «para plantar», a los que puede añadir, por cada jardinera, un puñado de estiércol descompuesto o, mejor aún, de compost fertilizante.

Plantar fresas en una jardinera

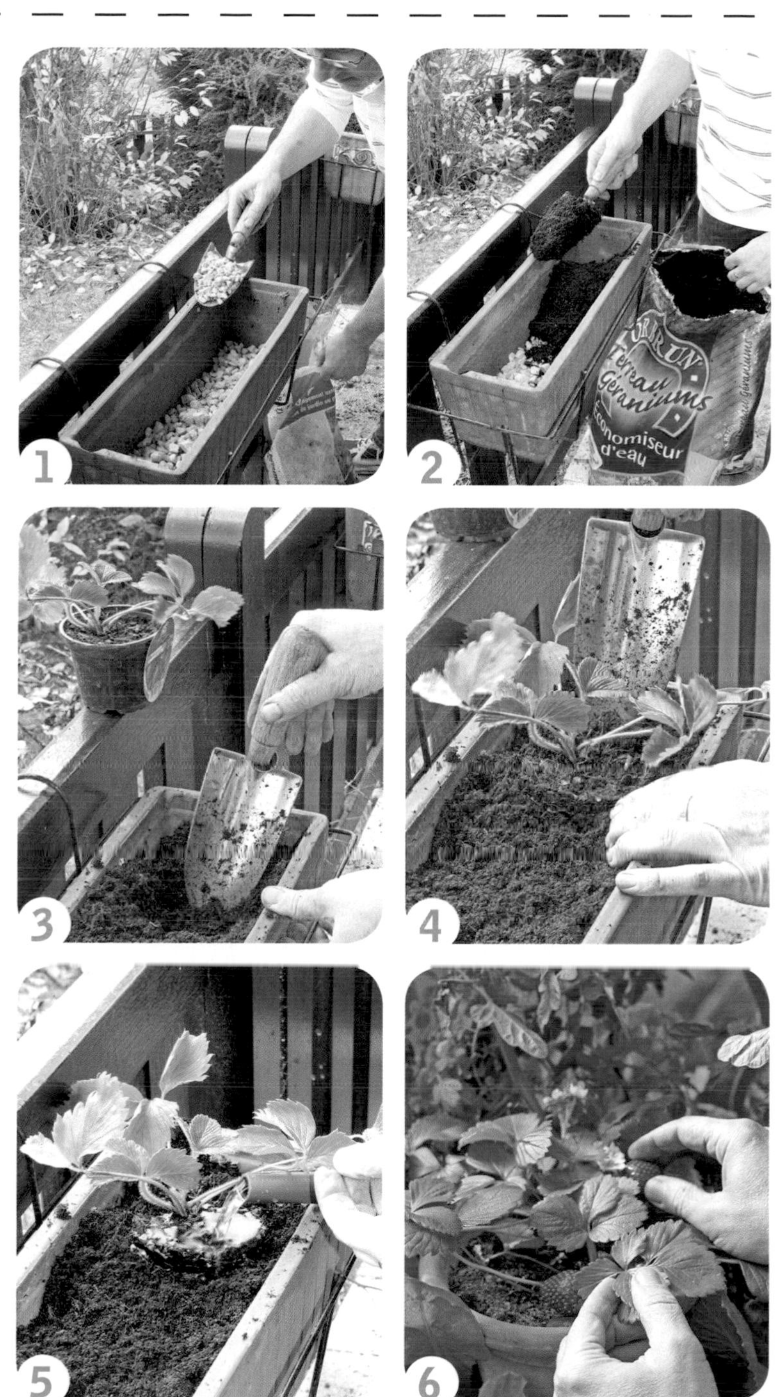

Aunque la fresa se pueda reproducir por semillas, es mucho más fácil comprar plantones y plantarlos directamente en las macetas y las jardineras. Además, la mayoría de las variedades se pueden encontrar también como plantones. Existen dos periodos de plantación: abril-mayo y de agosto a octubre. Si las planta en otoño, obtendrá una verdadera cosecha al año siguiente.

1 Compruebe que la jardinera disponga de varios orificios en la base para permitir que pueda salir el posible exceso de agua, que resulta nefasto para las fresas. Extienda una capa de grava para drenar bien el mantillo.

2 Rellene la jardinera, hasta 2 cm del borde, con el mantillo previamente enriquecido.

3-4 Practique tres hoyos distribuidos a la misma distancia e introduzca los plantones. Si se trata de plantones con las raíces desnudas, colóquelas hacia abajo, y vuelva a tapar procurando que el cuello (punto de unión entre las raíces y el tallo) quede justo sobre la superficie del suelo. Si se trata de plantones con terrón, la parte superior debe quedar a nivel del mantillo.

5 Riegue abundantemente cada una de las plantas, pero evite mojar las hojas.

6 Cuando recoja las fresas, separe las flores para que las abejas las vean bien.

EL CONSEJO DEL PROFESIONAL

Las fresas se renuevan completamente cada tres años, debido a la habitual reducción de la producción. Esto significa que, durante el otoño del tercer año de cosecha, se tienen que plantar nuevos pies en otro lugar del jardín. Algunos jardineros afirman duplicar la vida de sus fresas, siempre con una producción modesta, gracias a la siguiente técnica: en noviembre, hay que cortar todas las hojas a 2 cm del suelo, eliminarlas y cubrir la tierra con una capa de 3 o 4 cm de agujas de pino.

EL MEJOR MANTENIMIENTO

Las fresas desarrollan su sistema radicular antes del invierno, para estar preparadas cuando llega la primavera. En marzo o en abril, si el mantillo no está helado, disponga un acolchado sobre el mantillo para mantenerlo fresco. Evite los acolchados de tipo «pajitas», porque se enganchan a los frutos en el momento de la recolección. Opte por la tela de yute, que resulta igual de eficaz, pero que aísla las fresas del mantillo y las mantiene limpias. Riegue abundantemente en primavera, porque el mantillo no se debe secar. En verano, riegue mucho, pero solo una vez a la semana, para evitar que aparezcan algunas enfermedades que se desencadenan bajo la acción del calor y de la humedad.

En junio, elimine los estolones, unos tallos largos que terminan con un grupo de hojas, ya que consumen toda la energía de la planta.

LAS MEJORES COMBINACIONES

La fresa crece especialmente bien con las lechugas, las judías e incluso el tomillo. En cambio, debe evitar ponerla cerca de las coles y de las plantas que puedan privarla de sol.

LA RECOLECCIÓN

La recolección se realiza de mayo a octubre, según las variedades. Recoja las fresas preferentemente por la mañana, porque es cuando están más dulces. No tire de ellas; corte cerca del pedúnculo con las uñas de los dedos índice y pulgar. Consúmalas, si es posible, en un plazo de una hora para apreciar todo su sabor.

S.O.S.

En el balcón, las fresas están al alcance de los pájaros. Para evitar que acaben con su pequeña cosecha, actúe en mayo, antes de que maduren las primeras fresas. Coloque una red de malla fina por encima de las jardineras. Atención: coloque unos arcos pequeños que soporten la red para que los pájaros no puedan picotear a través de la malla.

Si se cultivan en un lugar elevado, existe menos riesgo de que el mantillo manche las fresas. ▷

Judía

Bonita y sabrosa a la vez

En la barandilla del balcón, en un enrejado fijado en la pared o en una mampara de separación entre dos espacios, las judías permiten cubrir de bonita vegetación un huerto colgante, primero gracias a su floración y, después, a sus vainas, que antes de ser sabrosas son bonitas.

VARIEDADES

Entre las judías, se distinguen las judías verdes, de las que se consume la vaina entera, y las judías en grano, que se degustan frescas o secas. Estas últimas, sin embargo, tienen un cultivo demasiado prolongado para un huerto de balcón, de modo que es preferible decantarse por las judías verdes. Puede encontrar una amplia gama de variedades de judías, muchas de ellas excelentes y sin hilos, aunque algunas resultan más difíciles de encontrar, como «Crochu de Savoie», que tiene un ligero sabor a avellana; «Selma Zèbre», una sabrosa variedad suiza; y «Cor des Alpes», antigua, pero que es igual de sabrosa.

Bloc de notas

* EXPOSICIONES: sol, sur u oeste.
* NÚMERO DE SOBRES: 1 caja para la temporada.
* DIMENSIONES DE LA MACETA: cualquier maceta de 35 cm de profundidad.
* CUÁNDO SEMBRAR: de abril a julio.
* TIERRA: blanda, fresca y con mucho humus.
* CUÁNDO RECOLECTAR: 2 meses y medio después de la siembra.

Judías:
1. «Cor des Alpes».
2. «Crochu de Savoie».
3. «Selma Zèbre».

LA MEJOR MACETA

La judía (y, sobre todo, en el caso de las variedades trepadoras) produce una importante red de pequeñas raíces que penetran en la tierra para buscar alimento. Como debe sustentar a mucha vegetación, se debe sembrar en un contenedor con, como mínimo, un sustrato de un grosor de 35 cm, y un diámetro o un lateral de 40 cm o más. Una maceta de terracota que permita que la tierra respire será muy útil en este caso.

LA MEJOR TIERRA

Las judías prefieren las tierras ligeras, donde puedan otorgar libertad a sus raíces, siempre frescas pero bien drenadas, porque no toleran los excesos de humedad. Así, si quiere obtener una buena cosecha, emplee un buen mantillo a base de fibras de coco más que con la tradicional turba. Si no dispone de él, utilice un mantillo «para trasplantar» y mézclelo con bolas de poliestireno para aligerarlo y conseguir un buen drenaje.

Sembrar con éxito las judías

Como ocurre con las habas, las semillas de las judías están rodeadas de un envoltorio duro que la plántula debe traspasar. Para facilitar esta tarea y que por tanto brote, ponga las semillas en remojo en agua tibia el día anterior a la siembra. La judía se siembra directamente en su sitio, practicando hoyos en los que se introducen de 3 a 5 semillas. Hágalo a partir de abril, en cuanto el sustrato esté caliente. Para cultivarlas con éxito, es básico que broten con rapidez, en menos de 5 días.

1 Clave en el mantillo la estructura que servirá de tutor a las judías. A su pie, prepare un hoyo grande del tamaño de la palma de la mano, y de unos 3 cm de profundidad.

2 Introduzca de 3 a 5 semillas, bien espaciadas, en el interior del agujero. Cúbralo de mantillo y compacte la tierra con la palma de la mano. Riegue inmediatamente para que el sustrato esté en contacto con las semillas.

3 Para que broten antes, puede cubrir el hoyo con una botella de plástico sin fondo. Retire esta protección en cuanto broten las plántulas.

EL CONSEJO DEL PROFESIONAL

Para saber si la tierra está suficientemente cálida para sembrar judías, introduzca su dedo índice. Si siente en el dedo una sensación de calor, puede sembrar. Si, al contrario, siente frío o humedad, espere algunos días.

LA RECOLECCIÓN

La recolección puede empezar 2 meses y medio después de la siembra. Tiene lugar a lo largo de varias semanas consecutivas, y las nuevas flores irán apareciendo a medida que vaya recogiendo los frutos. Recolecte las judías verdes crecidas cuando midan unos 15 cm de largo, cuando las vainas empiecen a abollarse. Finalmente, para evitar estropear toda la planta, recoja siempre las judías con las dos manos: una sujetando la rama y la otra sosteniendo la vaina y tirando de ella para romper el pedúnculo.

EL MEJOR MANTENIMIENTO

Conserve todos los plantones que broten; así tendrá más flores y más vainas que recolectar. Cuando alcancen unos 20 cm de altura, en el sustrato, forme una pequeña montaña en la base de los tallos. Es lo que se conoce como «acolladura». En la porción de tallo enterrada crecerán nuevas raíces, lo que reforzará la capacidad de los plantones de conseguir alimento en la jardinera. Los tallos se fijarán por sí solos a su soporte, de manera que no deberá preocuparse por ellos. Después, riegue todos los días para mantener el sustrato húmedo, pero evite mojar el follaje porque podría provocar la aparición de enfermedades.

TRUCO CULINARIO

En el embalaje de algunas variedades, aparece en ocasiones «Apto para congelación». Esto significa generalmente que la cosecha se realiza en un periodo más breve (dos semanas), y no que las judías sean más deliciosas después de congelarlas. Sin embargo, la congelación es la mejor manera de conservar el valor nutritivo de las judías, mucho mejor que la esterilización.

LAS MEJORES COMBINACIONES

Las judías pueden combinarse con las fresas. Por tanto, si le queda espacio al pie de las judías, no dude en poner uno o dos plantones de fresas. Al mismo tiempo, garantizarán la cobertura del mantillo, manteniendo el frescor que necesitan las judías. También puede emplear el maíz dulce como tutor para las judías: en una maceta grande colocada en el suelo, empiece sembrando 3 semillas de maíz en abril, protegidas en el interior de una botella de plástico si es necesario. Espere a que los plantones hayan alcanzado como mínimo 40 cm de altura para sembrar las judías a su pie.

La judía cubre perfectamente la barandilla del balcón. ▷

Lechuga

Manténgala siempre fresca

La lechuga se cultiva muy bien en maceta o en jardinera, y se adapta perfectamente al balcón, siempre y cuando disponga de una ligera sombra durante el día. La clave del éxito de su cultivo consiste en mantener el suelo fresco, lo cual se puede lograr con facilidad gracias a los mantillos.

VARIEDADES

Las lechugas «para cortar» son muy interesantes, porque no solo crecen con rapidez, sino que el mismo pie ofrece dos o tres recolecciones sucesivas. Estas lechugas, de hecho, se recolectan hoja a hoja, cortándolas siempre por encima del cuello, y no por la base una sola vez. Son interesantes las variedades «Rubia de hoja lisa», muy fácil de cultivar con éxito, y «Bughatti», con hojas de color roble púrpura. Entre las lechugas arrepolladas tradicionales, pruebe «Tom Thumb», que produce pequeños repollos adaptados al cultivo en maceta; «Lilloise», lista para consumir en solo seis semanas; o «Focéa», una buena lechuga de hojas gruesas y crujientes.

Bloc de notas

* EXPOSICIÓN: semisombra, este u oeste.
* NÚMERO DE SOBRES: 1 sobre para la temporada, o una docena de plantones para todo el año.
* CUÁNDO SEMBRAR: de abril a septiembre.
* TIERRA: rica en humus y fresca.
* DIMENSIONES DE LA MACETA: 20 cm de diámetro.
* CUÁNDO RECOLECTAR: de 4 a 8 semanas después de la siembra.

Lechugas:
1. «Lilloise».
2. «Bughatti».
3. «Focéa».

Sembrar con éxito la lechuga

La lechuga es una hortaliza que se reproduce por siembra, pero actualmente se encuentran muchas variedades en plantones, e incluso en miniterrones, lo cual permite ahorrarse la fase de la siembra, siempre algo delicada, y esperar una cosecha más rápida (véase p. 77). Aunque pueda sembrar lechugas en una terrina, al resguardo, desde el mes de enero, es mejor esperar hasta el mes de abril para sembrarlas directamente en el lugar en el que crecerán y se recolectarán.

1 Con la mano, practique un surco de 0,5 cm de profundidad como máximo, en paralelo al borde de la maceta. Así facilitará el aclareo.

2 Coloque las semillas en el surco.

3 Cúbralo con una fina capa de mantillo sin grumos, y compáctelo con el dorso de la mano.

4 Riegue inmediatamente y mantenga el suelo fresco. Las semillas deben brotar con rapidez para garantizar el éxito del cultivo, es decir, deben hacerlo en menos de 8 días. De 4 a 6 días es la duración óptima.

Cuando las plántulas alcanzan aproximadamente 3 cm de altura, ya presentan 2 o 3 hojas. Hay que proceder al aclareo. Esta operación consiste en arrancar los plantones sobrantes de la fila, eliminando los más débiles, con el fin de facilitar el desarrollo de los que se conservan. El modo de proceder es simple: basta con sostener las plántulas que quiera arrancar entre el pulgar y el índice, por la base, y levantarlas. Generalmente, con la ayuda de los dedos, se debe compactar la tierra alrededor de las plántulas que se han conservado, porque pueden haberse levantado al arrancar las plántulas vecinas. Conserve un plantón cada 25 cm.

> LECHUGA

LA MEJOR MACETA

La lechuga tolera los contenedores con un sustrato de una profundidad inferior a 15 cm. Resulta práctico. En cambio, siempre es preferible que el diámetro de la maceta sea superior al de la lechuga plantada, para que las hojas no se «rompan» con el borde. Suele crecer muy bien a la sombra de hortalizas más altas que ella, en cajones o en jardineras.

LA MEJOR TIERRA

A la lechuga le gustan las tierras que permanecen frescas. Los mantillos que venden en las tiendas, utilizados tal cual, suelen ir bien la mayoría de las veces, siempre y cuando contengan un poco de arcilla. No obstante, debe añadir una capa drenante en el fondo de la maceta para evitar cualquier acumulación de agua, que provocaría la putrefacción de los plantones.

EL MEJOR MANTENIMIENTO

Después del aclareo, la lechuga se desarrolla por sí sola. Basta con mantener la tierra fresca mediante riegos frecuentes. Procure que su jardinera no permanezca al sol más de la mitad del día.

LAS MEJORES COMBINACIONES

La lechuga suele convivir bien con otras plantas, sobre todo con las hortalizas de raíz como los rábanos y las zanahorias, porque su follaje proporciona una sombra beneficiosa al mantillo e impide que se seque. Póngala también al pie de las cucurbitáceas, e incluso en la jardinera con las fresas. En cambio, evite plantarla cerca del perejil.

Mis plantones desaparecen. Parecen brotar con normalidad, pero las plántulas de repente desaparecen, como si se «fundieran». Esta desaparición de los plantones se debe a una enfermedad consecuencia de un exceso de humedad, o menos habitual, a la falta de espacio en la siembra. Así pues, cuando riegue, evite empapar demasiado el mantillo.

EL CONSEJO DEL PROFESIONAL

Para ahorrar semillas y, sobre todo, para evitar el aclareo, compre semillas en cintas de siembra. Se trata de semillas que se han insertado de forma regular entre dos capas de papel biodegradable. Basta con colocar la cinta en el sustrato y cubrirla con una fina capa de mantillo. Se pueden romper a la medida que necesite, de manera que se adaptan a cada maceta o jardinera. Riegue inmediatamente a modo de una lluvia fina. También existen semillas de lechuga envueltas en una especie de cordón biodegradable, lo que facilita la germinación y el brote de la plántula. Se pueden coger una por una con la mano y colocar en el mantillo a la distancia deseada.

LA RECOLECCIÓN

Las lechugas «para cortar» se recolectan un mes después de la siembra, pero, en el caso de la lechuga arrepollada, espere un mes más. De cualquier manera, recoja la lechuga preferentemente por la mañana, porque las hojas están más duras. Consúmalas con rapidez para aprovechar la vitamina C que contiene. En el caso de la lechuga «para cortar», seccione las hojas jóvenes a ras del mantillo con un cuchillo, en función de sus necesidades de consumo. No corte el corazón, porque esta lechuga sigue produciendo hojas durante varias semanas. En el caso de la lechuga arrepollada, corte el pie a ras del mantillo y, a continuación, arranque la raíz para liberar espacio.

Plantar las lechugas en miniterrón o en maceta

Si compra los plantones en miniterrones o en macetas, podrá plantar las lechugas directamente en su contenedor o jardinera.

1 Sin sacar las macetas o las bandejas, sumerja los terrones de los plantones en un recipiente lleno de agua a temperatura ambiente, para empaparlos antes de la plantación. Puede que no se hayan regado lo suficiente desde que salieron del almacén del productor.

2 Con un cultivador, practique un hoyo del tamaño del terrón en el mantillo.

3 Presione la maceta para extraer el terrón y colóquelo en el fondo del hoyo. La parte superior debe quedar a nivel de la superficie del mantillo; nunca debe quedar más enterrada.

4 Vuelva a cubrir con tierra alrededor del terrón y compáctela con los dedos. El follaje parecerá reblandecido, como tumbado sobre el mantillo, pero es normal. Se recuperará en uno o dos días. Riegue inmediatamente para que las raíces del terrón estén en contacto con el mantillo.

◁ **Las lechugas «para cortar» permiten conservar una jardinera decorativa, incluso después de varias recolecciones.**

> LECHUGA

△ En la escalera, las macetas de lechugas tienen tanta presencia como los geranios.

TRUCO CULINARIO

Todo el mundo consume la lechuga cruda en ensaladas, aderezada con alguna vinagreta. Pero, ¿sabía que con una lechuga también puede preparar una excelente y untuosa sopa? Basta con rehogar con mantequilla las hojas cortadas, añadir un litro de caldo y dejar cocer a fuego lento. Añada una yema de huevo y nata líquida antes de servir.

Con su forma redondeada, las lechugas suavizan las formas de las macetas cuadradas o se adaptan a las macetas. ▷

LAURUS NOBILIS

Laurel

Cúbralo en invierno

El laurel común es un auténtico arbusto leñoso, casi como un árbol en el jardín, porque cuando se planta en la tierra puede alcanzar varios metros de altura. Es perennifolio y sus hojas son coriáceas, de color verde oscuro con un perfume muy marcado, sobre todo al estrujarlas. Su aspecto rústico oculta, sin embargo, una planta friolera (es originaria de la zona mediterránea) que hay que saber proteger en el balcón.

VARIEDADES

Aunque existe una variedad de follaje dorado (*Laurus nobilis* «Aurea»), la única especie adecuada para uso culinario es la especie tipo.

* EXPOSICIÓN: soleada, de sur a oeste.
* NÚMERO DE EJEMPLARES: 1 plantón por balcón.
* CUÁNDO PLANTAR: en marzo-abril.
* TIERRA: seca, ligera y profunda.
* DIMENSIONES DE LA MACETA: 40 cm de diámetro.
* CUÁNDO RECOLECTAR: 1 mes después de la plantación, después todo el año.

LA MEJOR MACETA

El laurel puede vivir más de diez años, de modo que deberá colocarlo en una jardinera grande en la que pueda desarrollar sus raíces con comodidad. Necesitará un contenedor cuadrado de 40 cm de lado como mínimo, con una profundidad equivalente. Lo ideal sería, incluso, reservarle una jardinera de 60 cm de ancho o más. Plántelo solo para que no tenga competencia y para que resulte fácil de trasplantar en cualquier momento. El material debe permitir una adecuada ventilación, así que deberá optar por la madera o la terracota natural y no pintada. La presencia de varios orificios de drenaje es absolutamente recomendable.

LA MEJOR TIERRA

El laurel común no soporta el exceso de humedad en las raíces. Así, no es recomendable plantarlo en un mantillo

Plantar el laurel común en un recipiente

El laurel común no soporta demasiado bien el frío, sobre todo cuando es joven. Así pues, es preferible plantarlo en primavera, para que tenga tiempo de desarrollar las raíces antes de la primera estación fría. Asimismo, dispondrá de más recursos para alimentarse durante el invierno siguiente (no olvide que conserva las hojas). Como todos los arbustos de follaje perenne, siempre se vende en maceta.

1 Sumerja algunos minutos el terrón con su contenedor en un cubo de agua para humedecerlo bien antes de la plantación.

2 Mientras tanto, practique un hoyo ligeramente mayor que el volumen del terrón en la mezcla de tierra preparada por usted mismo. Saque el laurel del cubo dándole la vuelta para extraerlo delicadamente del contenedor. Rebaje 1 cm, aproximadamente, la superficie del terrón, rascándola, para desprender las raíces y contribuir a su rápido desarrollo en su nuevo entorno.

3 Coloque el terrón en el hoyo. La parte superior del mismo debe quedar al mismo nivel que la superficie del sustrato. Si es necesario, amplíe el hoyo o bien añada tierra en el fondo.

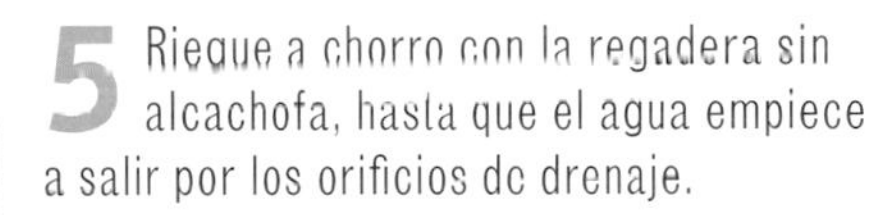

4 Rellene la zona alrededor del terrón con la tierra extraída del hoyo, y vaya compactándola.

5 Riegue a chorro con la regadera sin alcachofa, hasta que el agua empiece a salir por los orificios de drenaje.

puro. Prepare una mezcla a base de un 50 % de tierra de jardín procedente del huerto de un amigo, un 25 % de grava fina y un 25 % de poliestireno. Obtendrá un sustrato ligero y drenante que le irá perfecto, aunque también deberá colocar una capa drenante en el fondo de la jardinera...

LA RECOLECCIÓN

Puede efectuarse casi todo el año, de marzo hasta las primeras heladas, en función de sus necesidades, a mano, arrancando las hojas una por una, pero tomándolas de todo el arbusto para evitar vaciarlo solo de un lado. Elija preferentemente las hojas más oscuras, y las más coriáceas, ya que son las más perfumadas.

EL MEJOR MANTENIMIENTO

El laurel no es exigente. Hasta el otoño, simplemente deberá regarlo una vez a la semana, igual que en el momento de plantarlo. Durante el invierno, es mejor interrumpir por completo el riego, porque la humedad puede resultarle más perjudicial que el frío. Al año siguiente, un riego mensual bastará. El laurel común puede podarse cada primavera para que conserve el tamaño adecuado al balcón en el que se encuentre. Es mejor podarlo cada año antes que verse obligado a actuar cuando haya crecido demasiado, porque una poda drástica lo deformaría durante mucho tiempo.

TRUCO CULINARIO

Si emplea el laurel en casi todas las preparaciones culinarias y le preocupa la falta de cosecha en invierno, esté tranquilo: las hojas secas conservan perfectamente sus virtudes aromáticas. En otoño, coja una ramita o dos, para asegurarse de cubrir sus necesidades hasta la primavera, y cuélguelas en la cocina al aire libre cerca de la zona de trabajo. Así, la recolección será aún más fácil...

S.O.S.

Plan antifrío. Si el balcón está muy expuesto al viento, el laurel común puede sufrir en invierno. Para que no muera, aísle el interior del recipiente con poliestireno antes de la plantación, acolche la parte superior del terrón con una capa de pajitas de cáñamo y cubra la planta con una lona de invernaje holgada.

El follaje verde oscuro del laurel combina muy bien con las macetas de colores vivos. ▷

VALERIANELLA LOCUSTA

Canónigo

Agradece la sombra

El canónigo es una excelente lechuga de sabor suave que, además, presenta el interés de poderse cosechar al final de la temporada. Se puede cultivar fácilmente en el balcón, porque requiere un escaso mantenimiento.

VARIEDADES

Debe evitar cultivar en el balcón las variedades tipo «Coquille de Louviers», que presentan unas hojas huecas en forma de cuchara donde se acumulan el agua y las salpicaduras de mantillo, y, por tanto, necesita una cuidadosa limpieza antes de utilizarla. En cambio, «Verde de Cambrai» raza Cavallo o «Granon» le satisfarán plenamente.

Bloc de notas

* EXPOSICIÓN: semisombra, al este o al oeste.
* NÚMERO DE SOBRES: 1 sobre para la temporada.
* DIMENSIONES DE LA MACETA: 1 o 2 jardineras de 50 cm.
* CUÁNDO SEMBRAR: de julio a septiembre.
* TIERRA: fresca, consistente y firme.
* CUÁNDO RECOLECTAR: 3 meses después de la siembra.

Canónigo:
1. «Verde de Cambrai».
2. «Coquille de Louviers».
3. «Granon».

Sembrar con éxito el canónigo

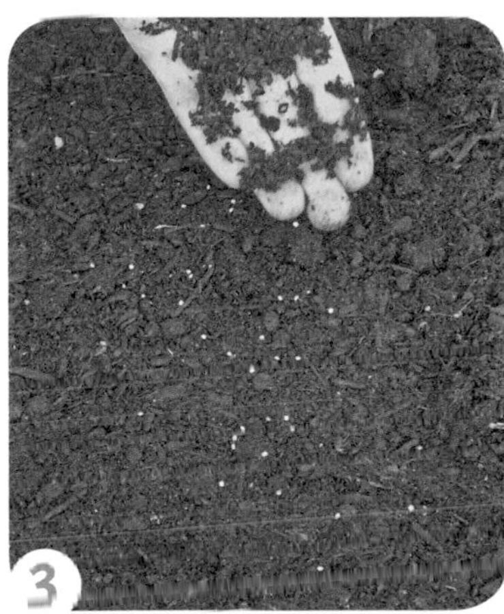

El canónigo es una de las hortalizas más fáciles de cultivar para el jardinero, porque le evita tener que mullir la tierra antes de sembrarla. Algunos jardineros la siembran incluso directamente en los caminos. En una jardinera en el balcón, este trabajo no supone tanto esfuerzo, pero, en todo caso, demuestra que la planta se puede cultivar fácilmente.

1 Después de comprobar que la jardinera dispone de orificios de evacuación del agua sobrante, rellénela con su mezcla de tierra y compáctela firmemente con la mano.

2 Distribuya las semillas a voleo sobre la superficie del sustrato, dando golpecitos al sobre con el dedo. Si tiene miedo de excederse, emplee un pequeño semillero redondo. En una jardinera, siembre como máximo un tercio del sobre, para que cada planta pueda crecer sin libremente.

3 Cúbralas con mantillo tamizado y compáctelo firmemente con una tabla pequeña o con la palma de la mano.

4 Riegue a modo de lluvia fina para no dispersar las semillas y coloque la jardinera a la sombra mientras espera a que broten, lo que tendrá lugar, aproximadamente, en una semana.

◁ **Las rosetas de canónigos pueden incluso recolectarse jóvenes...**

> CANÓNIGO

LA MEJOR MACETA

El canónigo es una pequeña planta herbácea de huerto que se conforma con poca tierra. Una pila o una simple jardinera, como las utilizadas para los geranios en las ventanas, es suficiente.

LA MEJOR TIERRA

La más adecuada es una buena tierra de jardín. Así, si tiene la oportunidad de rellenar una jardinera o dos en el huerto de un amigo, no lo dude. Si no le es posible, compre un mantillo que contenga tierra vegetal o arcilla (compruebe la composición en la parte posterior del saco).

EL CONSEJO DEL PROFESIONAL

Hay que reconocer que sembrar semillas pequeñas sin que queden demasiado juntas resulta difícil. Para evitar disgustos, y evitar el aclareo, compre una alfombra de semillas. Se trata de semillas distribuidas a la distancia correcta, y colocadas entre dos capas de papel biodegradable. Basta con cortar la alfombra según la forma de la jardinera o de la maceta, colocarla sobre el sustrato, cubrirla ligeramente de mantillo y regarla.

EL MEJOR MANTENIMIENTO

Aproximadamente un mes después de la siembra, las plántulas ya presentan algunas hojas. Si la siembra ha sido demasiado abundante, proceda a aclararla. Esta operación consiste en arrancar los plantones más débiles para conservar solo uno cada 8 cm, aproximadamente. Riegue con frecuencia para mantener fresco el sustrato.

Si prevé heladas, no tema; los canónigos son resistentes al frío. No obstante, es aconsejable cubrir la jardinera con una lona de invernaje para evitar que el hielo dañe algunas hojas. También es probable que algunas malas hierbas aprovechen los espacios entre los plantones, así como el frescor, para desarrollarse en la jardinera de los canónigos. Arránquelas sin dudarlo, porque al canónigo no le gusta la competencia. Compacte con los dedos la zona alrededor de los plantones que hayan podido quedar ligeramente levantados.

LA RECOLECCIÓN

La recolección del canónigo puede empezar 3 meses después de la siembra, según sus necesidades. El procedimiento es muy fácil: utilice un cuchillo o, mejor, un par de tijeras para cortar cada plantón a ras del suelo, justo por debajo de la roseta de hojas. Las raíces permanecen en la tierra, donde se descompondrán rápidamente.

S.O.S.

Las hojas de canónigo se cubren de manchas. Estas manchas marrones suelen indicar que las semillas se han sembrado demasiado juntas y que existe una humedad excesiva a nivel de las hojas enredadas. Arranque los pies afectados y proceda rápidamente a un aclareo para que circule aire entre los plantones.

TRUCO CULINARIO

Las hojas de canónigo deben lavarse simplemente con agua fresca y consumirse de inmediato para apreciar todo su sabor. Una vinagreta con vinagre de frambuesa acentúa su sabor dulce. Combina bien con la remolacha de mesa, otra verdura de sabor suave.

▽ Si encuentra canónigos en miniterrones, su colocación en la jardinera resultará más fácil.

Menta

¡Qué bien huele!

La menta, una planta aromática herbácea cuyo aroma se utiliza para perfumar las bebidas, los helados y el chocolate, no necesita presentación. Resulta muy fácil de cultivar en el balcón, donde libera sus fragancias cada vez que se frota.

VARIEDADES

Existen numerosas especies y variedades de menta, e incluso plantas que no lo son, pero que presentan el mismo sabor o el mismo aroma. Pero las más perfumadas y, por tanto, más interesantes para el cultivo en el balcón, son la menta verde *(Mentha spicata)* y la menta piperita *(Mentha piperata)*.

Bloc de notas

* EXPOSICIÓN: soleada o semisombra, sur a oeste.
* NÚMERO DE SOBRES: 1 sobre para la temporada, o 1 o 2 plantones para todo el año.
* CUÁNDO SEMBRAR: de marzo a mayo.
* CUÁNDO PLANTAR: abril.
* TIERRA: fresca y fértil.
* DIMENSIONES DE LA MACETA: 30 cm de diámetro.
* CUÁNDO RECOLECTAR: 5 meses después de la siembra, o 2 meses después de la plantación.

1. *Mentha piperata.*
2. *Mentha spicata.*

Plantar la menta en maceta o en contenedor

Si adquiere plantones en macetas o en contenedores, podrá empezar a recolectar las primeras hojas dos meses después de la plantación.

1 Sumerja la maceta de menta en un cubo de agua durante unos diez minutos, para humedecer el sustrato del terrón antes de la plantación.

2 Durante este tiempo, coloque un lecho de bolas de arcilla o de grava en el fondo de la maceta para garantizar un drenaje eficaz del sustrato después de cada riego. Prevea un grosor de 1/5 de la altura de la maceta.

3 Dé la vuelta a la maceta de menta. Sujete la planta pasando los dedos entre los tallos, y sáquela del contenedor. Rasque las raíces que aparecen alrededor del terrón con un pequeño cultivador de jardín. Esta operación facilitará su desarrollo.

4 Extienda una capa de sustrato sobre las bolas de arcilla y coloque el terrón en la maceta. La parte superior del terrón debe quedar 1 o 2 cm por debajo del borde superior de la maceta para facilitar el riego posterior. Rellene con tierra alrededor del terrón.

5 Compacte con los dedos el mantillo que ha añadido para que esté en contacto con las raíces.

6 Riegue inmediatamente con la manguera o con una regadera de cuello largo, pero sin la alcachofa.

> MENTA

LA RECOLECCIÓN

Se va realizando en función de sus necesidades, de mayo hasta las primeras heladas. Basta con tomar los brotes más tiernos y más perfumados, siempre a unos 15 cm del mantillo. La recolección se realiza con un par de tijeras normales, de podar o un cuchillo afilado. La menta florece. A principios de verano, no dude en cortar toda la planta a 20 cm del mantillo, para fomentar la producción de nuevos brotes tiernos para el resto de la temporada.

LA MEJOR MACETA

La menta desarrolla un número destacado de raíces rizomatosas, y se le debe proporcionar un volumen importante de sustrato. Una maceta de 30 cm de diámetro por 20 cm de profundidad sería lo mínimo. Esta densidad de raíces obliga a optar por las macetas permeables al aire, como las de terracota en bruto, o bien de madera.

TRUCO CULINARIO

Para conservar ramas de menta para el invierno, cuando ya haya cortado completamente la planta, corte los extremos de los tallos antes de la floración. Déjelos secar fuera y a la sombra, sobre un trapo. A finales de verano, consérvelos en sobres de papel a su alcance, en la cocina, protegidos totalmente de la humedad.

LA MEJOR TIERRA

Si se tiene en cuenta su propensión a desarrollar numerosas raíces, la menta prefiere, evidentemente, los sustratos ligeros, donde es más fácil crecer. Además, le gustan las tierras ricas en humus, pero también fértiles, para alimentar a su exuberante vegetación. Así, emplee un mantillo enriquecido con algas.

EL MEJOR MANTENIMIENTO

La menta es golosa, y, aunque el primer año se conforme con lo que encuentra en la maceta, las primaveras siguientes deberá añadir virutas de cuerno a la mezcla de tierra para aportar el nitrógeno necesario para su abundante follaje. Este abono natural garantiza una difusión progresiva durante la temporada. Procure que el mantillo permanezca fresco, pero sin riegos excesivos.

LAS MEJORES COMBINACIONES

La menta debe plantarse obligatoriamente sola en una maceta. Su propensión a extenderse mediante sus rizomas podría provocar rápidamente la asfixia de todas las plantas vecinas. Incluso deberá vigilar que algunos de sus tallos no arraiguen en las macetas vecinas, porque le costaría mucho sacarla de allí. En cambio, su poderoso perfume ahuyenta a muchos parásitos, en particular a los de la col. Así, siempre puede aproximar la maceta a la jardinera de las coles para crear una barrera olfativa.

S.O.S.

El follaje de la menta se marchita. Es normal, el follaje de la menta desaparece completamente en invierno, para renovarse a partir de la primavera siguiente. Para que la maceta siga estando presentable cuando no haga buen tiempo, corte todos los tallos a algunos centímetros del mantillo, en noviembre. Cúbrala con una capa de compost de varios centímetros.

Perejil

Vuelva a plantarlo cada año

El perejil es un ingrediente básico en la cocina, que Carlomagno ya ordenaba cultivar en sus tierras... Se trata de una planta bianual, es decir, que produce hojas el año de la siembra y flores antes de morir al año siguiente. Así, en el balcón, solo se cultiva durante un año.

VARIEDADES

Existen dos grandes categorías de perejil: el de hojas lisas, en el que se incluyen las variedades generalmente más perfumadas, y el de hojas llamadas *rizadas*, con menos sabor, pero más decorativas en los platos y más crujientes al masticarlas. Las variedades rizadas suelen ser de menor tamaño y, por tanto, mejores para su cultivo en maceta. Entre las variedades lisas, decántese por «Titan», y entre las rizadas, pruebe «Favorit» y «Bukett».

▽ Perejil «Favorit».

△ Perejil «Titan».

Bloc de notas

* EXPOSICIÓN: semisombra, oeste.
* NÚMERO DE SOBRES: 1 sobre por temporada, o 1 o 2 plantones para todo el año.
* CUÁNDO SEMBRAR: de marzo a mayo.
* TIERRA: fresca y blanda.
* DIMENSIONES DE LA MACETA: 20 cm de diámetro.
* CUÁNDO RECOLECTAR: 3 meses después de la siembra, o 1 mes después de la plantación.

Plantar el perejil en maceta o en contenedor

Comprar plantones de perejil en macetas supone una solución fácil aconsejable para la mayoría de las personas. Evidentemente, es posible que no encuentre las variedades que desea, pero la plantación resulta fácil y podrá empezar a recolectar un mes después.

1 Antes de la plantación, sumerja la maceta o el contenedor en un cubo de agua durante unos diez minutos para humedecer bien el sustrato del terrón antes de proceder a la plantación. Con un trasplantador, practique un hoyo en el mantillo, de dimensiones ligeramente superiores a las del terrón.

2 Dé la vuelta al contenedor, sujete el plantón pasando los dedos entre los tallos y retire el recipiente. Rasque las raíces visibles en la parte periférica del terrón con un pequeño cultivador de jardín. Esta operación facilitará que la planta vuelva a crecer.

3 Coloque el terrón en la maceta. La parte superior de la maceta debe quedar 1 o 2 cm por debajo del nivel de la misma para facilitar el riego posterior.

4 Rellene con mantillo alrededor del terrón.

5-6 Compacte con los dedos, pero no el terrón, sino el mantillo que ha añadido, para que esté bien en contacto con las raíces. Riegue inmediatamente con una manguera o con una regadera de cuello largo, pero sin alcachofa.

> PEREJIL

LA MEJOR MACETA

El perejil no es demasiado exigente en cuanto al contenedor en el que debe plantarse. Lo único que no tolera es tener las raíces demasiado calientes en verano, en una maceta de un material que absorba el calor. Así pues, evite utilizar como maceta objetos metálicos recuperados, a menos que pueda ponerlos en un macetero.

LA MEJOR TIERRA

El perejil siente predilección por las tierras frescas, blandas y ricas en humus. Así, el mantillo será ideal. Incluso crece mejor en un mantillo enriquecido. Puede utilizar cualquier mantillo «para plantar», al que deberá añadir virutas de cuerno.

EL MEJOR MANTENIMIENTO

Aunque es bastante difícil conseguir que el perejil brote, una vez que lo ha hecho crece con bastante rapidez. Basta con mantener siempre el mantillo fresco, aunque sea acolchándolo, y, sobre todo, no colocar la maceta o la jardinera a pleno sol.

LA RECOLECCIÓN

Recoja el perejil a medida que lo va necesitando. Empieza de dos meses y medio a tres meses después de la siembra y continúa hasta las primeras heladas. Las hojas enteras se deben cortar a ras del mantillo, con un par de tijeras normales o de podar, o bien un cuchillo afilado. No se preocupe por cortar demasiado; el perejil producirá nuevos brotes justo después de su recolección.

Sembrar con éxito el perejil

Es bastante complicado que el perejil se multiplique por semillas: tarda mucho en germinar y en brotar (cuatro semanas o más). Además, si se deja secar el mantillo, las semillas mueren. El perejil exige una atención diaria... Siémbrelo directamente en el lugar que deberá ocupar en el balcón.

1 Para mejorar un poco la germinación, ponga las semillas en remojo en un plato con agua tibia en casa dos días antes de la siembra.

2 Distribuya una decena de semillas sobre la superficie del mantillo.

3 Cúbralas con una capa muy fina de mantillo tamizado y compáctelo con firmeza con el dorso de la mano. Si son semillas pregerminadas, compacte el mantillo delicadamente.

4 Riegue de inmediato, y conserve siempre la tierra fresca hasta que broten (al cabo de un mes, aproximadamente, o de una semana si las semillas son pregerminadas).

5 Cuando las plántulas tengan 4 o 5 hojas, proceda al aclareo arrancando los plantones más débiles para conservar solo 2 o 3 de los más vigorosos. Sujete por la base las plántulas que desee arrancar y levántelas.

6 Compacte con los dedos alrededor de las plántulas conservadas, porque pueden haberse levantado al arrancar el resto.

EL CONSEJO DEL PROFESIONAL

El perejil tiene un gran defecto, y es que tarda varias semanas en germinar, lo que desmotiva a más de un jardinero de balcón. Por esta razón, en ciertos catálogos especializados encontrará semillas llamadas «pregerminadas». Quizás no encuentre todas las variedades habituales, pero, en todo caso, tendrá la garantía de que brotarán en una semana en lugar de en cuatro.

TRUCO CULINARIO

Como la mayoría de las plantas aromáticas, recoléctelo preferentemente por la mañana, y ponga las ramitas en un vaso de agua en la cocina. Píquelo en el momento de añadirlo al plato, justo antes de servir, para sacar más provecho a su aroma.

▽ El perejil es una de las pocas plantas que pueden colocarse junto al hinojo.

Acelga

Hortaliza fácil

Semejante a la remolacha, la acelga es una planta de huerto que se cultiva, sobre todo, por su pecíolo largo y carnoso. En el balcón, donde se instala y crece con rapidez sin ninguna dificultad, resulta muy vistosa.

VARIEDADES

La acelga tradicional tiene unos nervios anchos y blancos, sobre todo la variedad «Verde con penca blanca». Pero en un balcón también se debe saber jugar con los colores, y no dudar en plantar «Ruibarbo», de nervios rojo fuerte, o «Bright Lights», con nervios que pueden ser de color rosa, amarillo, naranja o púrpura... El efecto decorativo está garantizado.

LA MEJOR MACETA

La acelga desarrolla un volumen radicular importante, proporcional a sus anchas hojas. Así pues, debe facilitarle todos los medios necesarios para que crezca en una maceta o una jardinera de 30 x 30 cm como mínimo, con

Bloc de notas

* EXPOSICIÓN: al sol, sur u oeste.
* NÚMERO DE SOBRES: 1 sobre para la temporada, o 3 plantones.
* DIMENSIONES DE LA MACETA: jardinera de 30 x 30 cm.
* CUÁNDO SEMBRAR: en abril-mayo.
* TIERRA: fresca y profunda.
* CUÁNDO RECOLECTAR: 2 meses y medio después de la siembra.

Acelgas:
1. «Bright Lights».
2. «Verde con penca blanca».

una profundidad de sustrato equivalente. En maceta individual, será más fácil cambiarla de ubicación para variar la decoración de su balcón en función de las floraciones.

LA MEJOR TIERRA

La acelga siente predilección por una buena tierra de jardín. Así, en el balcón, deberá intentar satisfacerla con un poco de esta tierra que pueda recoger en el huerto de algún amigo. Si esto no es posible, puede optar por la compra de un mantillo «para plantar» que contenga tierra vegetal o arcilla (compruébelo en la parte posterior del saco). En este sustrato rico en humus, la acelga encontrará un soporte que permanecerá fresco en verano, justo lo que necesita para crecer.

Sembrar con éxito la acelga

La acelga se siembra en abril o en mayo, después de las últimas heladas, para que brote con rapidez. Se siembra directamente en su sitio, es decir, en la maceta o la jardinera en la que crecerá. De hecho, cuando se trasplanta, suele desarrollar un tallo floral que no tiene ninguna utilidad, en detrimento de su follaje.

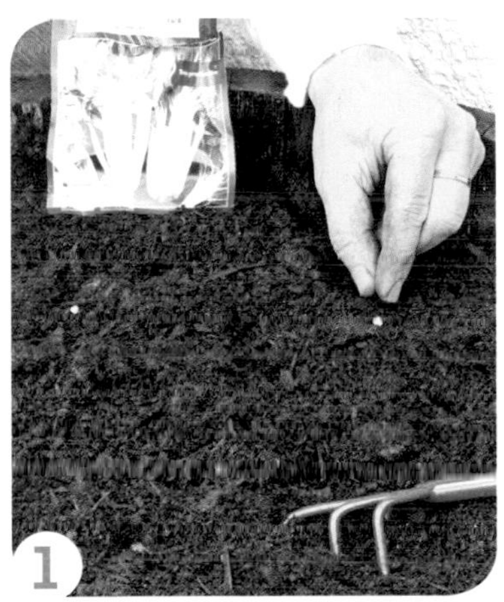

1 Coloque 3 semillas en la superficie del mantillo, a varios centímetros de distancia.

2 Húndalas 1 cm con el dedo, y cúbralas con mantillo.

3 Riegue inmediatamente, y mantenga el sustrato siempre fresco, hasta que las semillas broten, momento que puede parecer especialmente largo porque puede implicar unos doce días.

4 Coloque la maceta a la sombra, o bien cúbrala con una caja.

Cuando las plántulas hayan desarrollado 3 o 4 hojas, arranque las menos vigorosas y compacte la tierra alrededor de la que conserve. Riéguela para que el mantillo esté en contacto con las raíces.

EL CONSEJO DEL PROFESIONAL

Para sacar buen provecho del follaje de las variedades de acelgas de color, colóquelas de tal manera que pueda mirarlas a contraluz, principalmente al atardecer, cuando el sol sublima los colores intensos de los pecíolos y dibuja los nervios de las hojas. Si no es posible, puede instalar un sistema de iluminación en el balcón, con un pequeño proyector de LED (bombillas de bajo consumo), colocado, con buen criterio, detrás de las acelgas.

EL MEJOR MANTENIMIENTO

Coloque la maceta a pleno sol. Así, la acelga crecerá de forma regular, sobre todo si nunca le falta agua. No tolera la sequedad. En verano, se recomienda encarecidamente acolchar la superficie de la maceta para poder espaciar los riegos. La acelga crece muy bien con abonos a base de algas; en este sentido, resulta ideal regarla una vez al mes con uno de estos fertilizantes.

LAS MEJORES COMBINACIONES

En otoño, la sombra de las grandes hojas de la acelga es perfecta para los rabanitos y los canónigos, quienes, con sus hojas, gratifican a la acelga con un beneficioso acolchado.

LA RECOLECCIÓN

Puede empezar a recolectar las acelgas 2 meses y medio después de la siembra. Es muy sencillo, porque basta con cortar las hojas una a una por la base, con un cuchillo, en función de lo que necesite. Sin embargo, también puede decidir no recolectarlas para poder aprovechar su efecto decorativo hasta las primeras heladas.

Plantar la acelga en maceta o en contenedor

Los plantones son interesantes para quienes no hayan tenido tiempo de sembrar, o para aprovechar rápidamente el efecto decorativo de la acelga. En este caso, plante después de las últimas heladas, siempre al sol. Al plantarlas, procure no romper el terrón para reducir al máximo el estrés relacionado con el trasplante. Riegue inmediatamente, y, sobre todo, no permita que las acelgas carezcan de agua durante el verano.

Las hojas se deforman. La deformación de las hojas de las plantas suele deberse a los parásitos. En el caso de la acelga, suele tratarse de pulgones que se refugian en el corazón de la planta. Además, son las hojas del centro las que primero muestran la presencia de estos parásitos al tornarse amarillas y deformarse después. Una o dos pulverizaciones con una solución a base de jabón negro líquido suelen ser suficientes si actúa con celeridad.

TRUCO CULINARIO

Aunque lo que se consume principalmente son los pecíolos (deliciosos con bechamel), también se pueden utilizar las hojas, que se preparan como las de las espinacas. En las variedades de color, las hojas suelen degustarse jóvenes y crudas en ensaladas. La variedad «Rhubarb Chard» tiene, además, un sabor muy particular, útil para cambiar los placeres.

▽ Si planta la acelga sola en una maceta, podrá cambiar la decoración con mayor facilidad.

PISUM SATIVUM

Guisante

Consúmalo a principios del verano

El guisante fresco es tan dulce que se puede considerar una de las golosinas del jardín. Existen variedades de granos redondos (o lisos), resistentes al frío y que pueden sembrarse desde febrero, pero resultan menos dulces. Los guisantes de grano arrugado, que se siembran hasta junio, son deliciosos. En el balcón, puede cultivar las siguientes variedades.

VARIEDADES

Al igual que las judías, los guisantes se dividen en variedades enanas, que no superan los 40 cm de alto, y trepadoras, que alcanzan hasta 1,50 m y a las que hay que proporcionar un soporte. Entre las enanas, cabe considerar «Grandera» y «Profita», y, entre las trepadoras, «Maxigolt» o «Alauws Shokker», con vainas de color violeta.

Bloc de notas

- EXPOSICIÓN: sol, sur u oeste.
- NÚMERO DE SOBRES: 1 caja para la temporada.
- DIMENSIONES DE LA MACETA: cualquier maceta de 35 cm de diámetro.
- CUÁNDO SEMBRAR: de marzo a mayo.
- TIERRA: ligera y fresca.
- CUÁNDO RECOLECTAR: 3 o 4 meses después de la siembra.

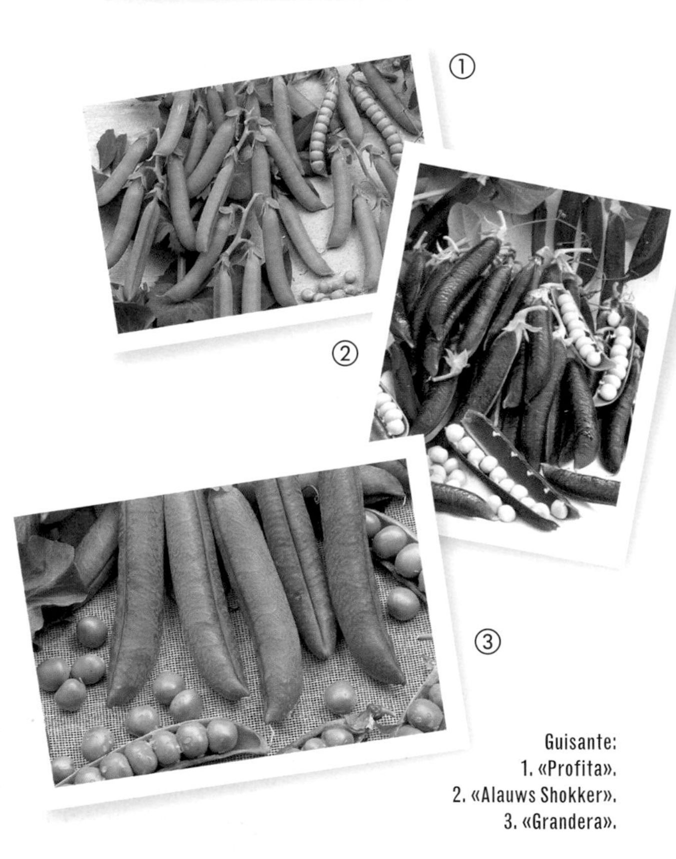

Guisante:
1. «Profita».
2. «Alauws Shokker».
3. «Grandera».

Sembrar con éxito los guisantes

El guisante se multiplica por semillas, directamente en el lugar donde crecerá y producirá las vainas. Siémbrelo desde marzo, siempre y cuando el sustrato no esté helado, y hasta mayo, sabiendo que brotará con mayores garantías si la tierra está caldeada.

1 Las semillas de guisante se parecen a los guisantes que consumimos, aunque están más deshidratadas. Para acelerar la germinación, ponga las semillas en remojo en un plato con agua tibia durante unas horas antes de la siembra. Deseche las semillas que permanezcan en la superficie del agua después de este «baño», porque no germinarán.

2 Con el dedo índice, y a una profundidad de unos dos dedos, practique en el sustrato 3 hoyos en triángulo, a unos 10 cm de distancia entre sí.

3 Coloque una semilla en cada agujero. Rellénelos con mantillo, y compáctelos con la palma de la mano. Riegue inmediatamente para que el sustrato esté en contacto con los granos. Brotarán en 10 o 15 días. Si cubre la maceta con un plástico, las semillas brotaran unos días antes.

Los guisantes trepadores necesitan un soporte para poder fijar los zarcillos. Cuando hayan brotado, plante cuatro tutores de bambú en la maceta y júntelos en la parte superior para crear una especie de tipi de 0,80 m de altura. Guíe las ramas únicamente al principio; después ya no es necesario. Tras la recolección, arranque todo, tanto los plantones como los tutores. Bastará con dejar secar los plantones algunos días al sol para retirarlos fácilmente deslizándolos por el bambú.

> GUISANTE

LA MEJOR MACETA

Al guisante le gustan los suelos mullidos para poder desarrollar sus raíces en la profundidad y garantizar su estabilidad. En el balcón, servirá cualquier jardinera o maceta con un mantillo con una profundidad de 30 cm como mínimo, sin contar la capa drenante. Opte, sin embargo, por los contenedores con paredes impermeables, de metal o de plástico, por ejemplo, porque retienen mejor la humedad y el frescor tan codiciados por el guisante.

TRUCO CULINARIO

Para conservar al máximo las vitaminas y los nutrientes, cueza los guisantes al vapor colocando el utensilio de cocción al vapor sobre un cazo con agua hirviendo. Con este método, más rápido que la cocción con agua (como máximo 10 minutos), obtendrá unos guisantes menos arrugados y con una piel menos dura.

EL CONSEJO DEL PROFESIONAL

Atención: las semillas de guisantes que se siembran en primavera son codiciadas por los pájaros, sobre todo en las macetas de los balcones, porque son fáciles de encontrar en el mantillo mullido. Si desea sacar el máximo provecho a sus cosechas, tome la precaución de cubrir las macetas o jardineras con una red, hasta que los plantones alcancen aproximadamente 5 cm de altura.

LA MEJOR TIERRA

Al guisante no le gustan las tierras demasiado calcáreas, ni demasiado ácidas, ni demasiado empapadas… Los mantillos que venden en las tiendas deberían ser válidos, especialmente los que llevan la indicación «para plantar» o «para huerto». Para aligerarlos aún más, puede añadir grava fina a razón de 1/3 del volumen total del sustrato.

EL MEJOR MANTENIMIENTO

Cuando los plantones alcancen unos 20 cm de altura, cubra con mantillo una parte del tallo. Gracias a esta acolladura, aparecerán nuevas raíces, lo que garantizará una mejor fijación de la planta y una mayor capacidad de buscar alimento en el mantillo. Las variedades trepadoras encuentran por sí solas el soporte para sus zarcillos. Procure mantener el mantillo siempre fresco; para ello, riéguelo cada día o, mejor aún, añada una capa de acolchado de varios centímetros.

LA RECOLECCIÓN

Se puede recolectar 3 meses y medio después de la siembra. Las vainas deben estar aún verdes, bien llenas y cubiertas por una especie de polvillo. Así, los granos todavía no estarán harinosos. En lugar de tirar de las vainas, pince el pedúnculo con las uñas del pulgar y del índice. La recolección se efectúa siempre en 3 o 4 pasadas, cada tres días aproximadamente, teniendo en cuenta que las que primero maduran son las vainas que se hallan en la parte inferior. También puede adelantar la fecha de la recolección cortando el tallo principal de la planta por encima de la quinta yema floral o grupo de flores.

Las vainas de los tirabeques se consumen enteras, no hace falta desgranarlas.▷

Pimiento

Sabor dulce o picante

También se le llama *pimiento dulce*, para diferenciarlo de la guindilla, un pequeño pimiento picante muy utilizado como condimento. En el balcón, el pimiento aporta sobre todo un toque de color gracias a sus frutos verdes y amarillos o rojos. Se pueden consumir perfectamente y son sabrosos, pero se obtiene justo la cantidad para preparar un pisto para la familia.

VARIEDADES

Existen muchas variedades diferentes en los catálogos especializados. Entre las más fáciles, productivas y espectaculares, elija «Ariane», de frutos perfumados de color naranja intenso; «Doux Très Long des Landes», de frutos verdes y rojos, o también «Carré Rouge» o «Carré Jaune», muy productivos.

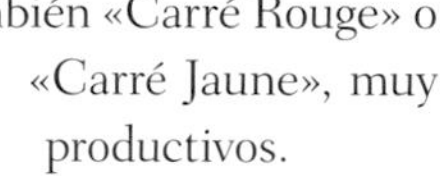

Pimientos:
1. «Ariane».
2. «Doux Très Long des Landes».

Bloc de notas

* EXPOSICIÓN: a pleno sol, pleno sur.
* NÚMERO DE SOBRES: 1 sobre para la temporada, o 2 o 3 plantones.
* DIMENSIONES DE LA MACETA: maceta de 20 x 20 cm.
* CUÁNDO SEMBRAR: de febrero a abril.
* TIERRA: rica en humus y fresca.
* CUÁNDO RECOLECTAR: 5 o 6 meses después de la siembra.

Sembrar con éxito los pimientos

El pimiento se multiplica por semilla, pero es una planta muy sensible al frío (la más mínima helada acaba con la planta) y, por tanto, resulta imprescindible sembrarla en un miniinvernadero con calefacción dentro de casa antes de plantarla fuera cuando ya no exista ningún riesgo de heladas. Entre la siembra y el trasplante deben transcurrir como mínimo dos meses. En las zonas frías, es mejor esperar hasta finales de mayo para plantar los pimientos en el exterior, de manera que no se deben sembrar antes de finales de marzo. Cuanto más cálido es el clima, antes se pueden sacar al balcón y, por consiguiente, antes se pueden sembrar. A orillas del Mediterráneo, se pueden sembrar en febrero.

1 Siembre los pimientos en macetas de turba rellenas de mantillo para siembra y colóquelas en un miniinvernadero con calefacción, en una habitación de la casa, delante de una ventana, en un invernadero o un porche.

2 Ponga 3 semillas por maceta, espaciadas unos 2 o 3 cm. Húndalas con el dedo de forma que queden cubiertas con 0,5 cm de mantillo bien tamizado.

3 Compacte con los dedos, con una tabla pequeña o con el reverso de un trasplantador.

4 Riegue a modo de lluvia fina para mojar bien el sustrato. Cierre el invernadero. Las semillas brotarán en 8 o 10 días.

Al cabo de un mes, arranque de cada maceta los dos plantones más débiles para facilitar el desarrollo del más vigoroso. Compacte con los dedos alrededor del plantón que haya conservado, porque puede haber quedado ligeramente levantado al arrancar los otros dos. Riegue inmediatamente para que el mantillo y las raíces vuelvan a estar en contacto. Desconecte la calefacción del miniinvernadero y déjelo entreabierto permanentemente, siempre dentro de casa.

> PIMIENTO

EL CONSEJO DEL PROFESIONAL

Evite las dificultades de la siembra comprando plantones en macetas en centros de jardinería, y plántelos en los mismos periodos y del mismo modo en que lo haría con los plantones resultantes de su propia siembra. Si encuentra plantones de pimientos injertados, cómprelos. Fructifican antes que los plantones tradicionales y, sobre todo, son más tolerantes a las condiciones de cultivo difíciles, como las que encontrarán en el balcón.

LA MEJOR MACETA

Las raíces del pimiento tienden a buscar la profundidad, hasta extenderse. En el balcón, un contenedor de 20 cm de diámetro o de lado será suficiente, siempre y cuando la profundidad del mantillo sea de 30 cm como mínimo, más la capa drenante. Todos los materiales resultan útiles, incluso los contenedores con paredes impermeables, de metal o de plástico.

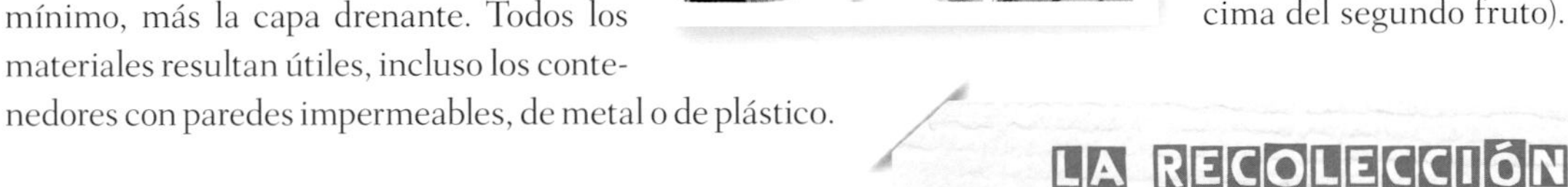

LA MEJOR TIERRA

Al pimiento le gusta el mantillo enriquecido con materia orgánica. Así, plántelo en un mantillo regenerante o en un mantillo universal, ambos enriquecidos con compost de algas, que encontrará en los comercios especializados. Resultan especialmente adecuados para el pimiento. Pero también puede emplear un mantillo «para plantar» estándar, al que podrá añadir su propio compost a base de los restos de casa. En este caso, procure utilizar un compost bien fermentado, porque el pimiento no tolera los productos que no se hayan descompuesto por completo.

EL MEJOR MANTENIMIENTO

Después, mantenga el mantillo fresco, pero no excesivamente, para que los plantones crezcan con regularidad.

Dos semanas antes del periodo previsto para la plantación en la maceta, saque cada día el miniinvernadero al balcón en las mejores horas del día, con la tapa completamente abierta. El objetivo consiste en endurecer los plantones, para que su paso del invernadero al balcón resulte menos traumático.

Desde abril en las zonas cálidas, pero no antes de finales de mayo en las más frías, puede plantar los plantones en su jardinera en el balcón, con su maceta de turba, cuyas paredes ya deben estar atravesadas por las raíces. Cubra la superficie de la maceta con 2 o 3 cm de mantillo. Es mejor que la maceta quede enterrada antes que fuera de la tierra. Si planta varios pies en la misma jardinera, calcule unos 40 cm como mínimo entre dos plantones. Riegue abundantemente, siempre sobre el pie, y acólchelo para retener la humedad. Y, sobre todo, coloque la jardinera a pleno sol. En las zonas más frescas, para que los frutos –que podrán madurar perfectamente antes del otoño– puedan gozar de todas las oportunidades posibles, no dude en podar los plantones (corte el extremo de los tallos 2 cm por encima del segundo fruto).

LA RECOLECCIÓN

Los pimientos pueden recogerse en cuanto alcanzan su tamaño definitivo, y sea cual sea su color, incluso verde. En general, calcule unos 5 meses entre la siembra y el inicio de la recolección. Los pimientos se deben recolectar a medida que se vayan necesitando. Al contrario que los tomates, su pedúnculo no se rompe presionándolo. El fruto se debe sostener con una mano y después cortar el pedúnculo con unas tijeras de podar o un cuchillo. En cambio, como los tomates, los pimientos siguen madurando y adquiriendo color después de recolectados. Resulta interesante cuando el tiempo empieza a empeorar a finales del verano...

TRUCO CULINARIO

Teniendo en cuenta el número relativamente reducido de frutos que se pueden cosechar en el balcón, utilice los pimientos más como potenciadores del sabor que como hortaliza de acompañamiento. Así, acabados de recoger, córtelos en dados del tamaño de un guisante, y mézclelos con pasta, arroz o ensaladas.

▽ El uso de tutores suele ser necesario para evitar que las ramas se doblen con el peso de los frutos.

RAPHANUS SATIVUS

Rábano

Cultivo fácil

El rábano es, con toda seguridad, la hortaliza más fácil de cultivar. Las semillas son grandes y perfectamente visibles, y es apto para el consumo de tres a seis semanas después de la siembra, según las variedades. Tónico y refrescante, se puede consumir sin moderación.

VARIEDADES

La variedad «De 18 días» es esencial, porque se puede recolectar al cabo de menos de tres semanas después de haberla sembrado. Los amantes de la originalidad se inclinarán por «Zlata», de raíz amarilla; «Redondo blanco», completamente blanco; o también «Viola», de color violeta. Entre las variedades más sabrosas, elija «Mirabeau» y «Patricia».

Bloc de notas

* EXPOSICIÓN: semisombra, este u oeste.
* NÚMERO DE SOBRES: 3 sobres para la temporada.
* DIMENSIONES DE LA MACETA: 20 cm de diámetro.
* CUÁNDO SEMBRAR: de marzo a septiembre.
* TIERRA: fácil de trabajar y rica en humus.
* CUÁNDO RECOLECTAR: de 3 a 6 semanas después de la siembra.

Rábanos:
1. «Redondo blanco»
2. «Viola».
3. «Zlata».

Sembrar con éxito el rábano

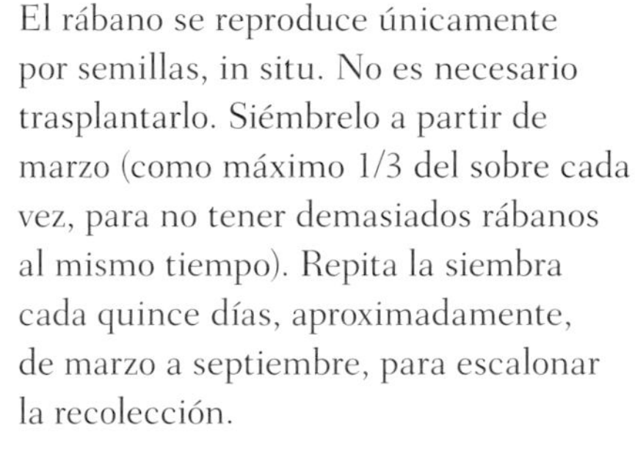

El rábano se reproduce únicamente por semillas, in situ. No es necesario trasplantarlo. Siémbrelo a partir de marzo (como máximo 1/3 del sobre cada vez, para no tener demasiados rábanos al mismo tiempo). Repita la siembra cada quince días, aproximadamente, de marzo a septiembre, para escalonar la recolección.

1 Mulla bien la mezcla de tierra y nivele la superficie deshaciendo los posibles grumos.

2 Las semillas de rábano son lo suficientemente grandes como para cogerlas una a una con los dedos y verlas bien sobre el mantillo. Siémbrelas a voleo: póngase un tercio del sobre en la palma de la mano y distribuya las semillas sobre el mantillo agitando la mano. Deben quedar a una distancia de 3 cm como mínimo.

3 Si se trata de una variedad de raíz alargada, cúbralas con una capa de mantillo de 1 cm de grosor y compáctela con la palma de la mano. Si es una variedad de raíz esférica, compacte directamente, sin cubrir con mantillo.

4 Riegue inmediatamente para que el sustrato esté en contacto con las semillas. Brotarán al cabo de 3 a 5 días.

5 Cuando las plántulas alcancen aproximadamente 2 cm, proceda al aclareo, si es necesario. Esta operación se debe realizar cuando las semillas que se han sembrado han quedado demasiado juntas. Consiste en arrancar los plantones sobrantes, en general los más débiles, para conservar solamente los más vigorosos.

> RÁBANO

EL CONSEJO DEL PROFESIONAL

Si no está seguro de realizar correctamente la siembra a voleo, compre semillas de rábano en cintas de siembra. Se trata de semillas distribuidas a la distancia correcta entre dos hojas de papel biodegradable. Basta con colocar la cinta de siembra sobre el mantillo, taparla o no, dependiendo de si se trata de una variedad de raíz larga o redonda, compactar la tierra y regar. Las semillas germinan, el papel se descompone y usted se evita tener que aclarar los plantones. La cinta se rompe fácilmente con la mano, de manera que puede elegir el número de semillas que desee sembrar.

LA MEJOR MACETA

Aunque se trata de una hortaliza de raíz, el rábano exige poca profundidad de mantillo. De hecho, casi la mitad de su raíz crece por encima de la superficie de la tierra, especialmente en el caso de las variedades de raíces más o menos esféricas. Una simple jardinera como las utilizadas habitualmente para los conocidos geranios es suficiente para sembrar un puñado de semillas. Pero nada le impide sembrar los rábanos en una maceta más profunda, o entre plantas de gran tamaño plantadas en una jardinera...

LA MEJOR TIERRA

Como la mayoría de las hortalizas de raíz, el rábano se desarrolla mejor en una tierra que no se endurezca con el tiempo, lo cual le permite desarrollar una raíz más importante. Además, no tolera la falta de agua, que podría provocar que su raíz quedara hueca. Cultívelo en un mantillo «para plantar», aligerado con la mitad de arena.

EL MEJOR MANTENIMIENTO

El rábano crece solo, siempre que su raíz no sufra la carencia de agua. El acolchado es prácticamente imposible de realizar. Así, riéguelo todos los días. Si aparecen «malas hierbas» entre los rábanos, arránquelas antes de que se conviertan en competidoras.

LA RECOLECCIÓN

Puede efectuarse de 3 a 6 semanas después de la siembra, según las variedades. Extraiga las raíces en función de sus necesidades. Se arrancan fácilmente cogiendo los plantones por la base del follaje.

TRUCO CULINARIO

Todo el mundo sabe cómo consumir las raíces de los rábanos, pero, ¿quién ha comido alguna vez una ensalada de hojas de rábano crudas, o una sopa de hojas cocidas? Sofría, con un poco de mantequilla, una cebolla y las hojas de rábanos, ambas cortadas en rodajas, cubra con agua, condimente y deje sofreír durante 20 minutos...

Romero

No lo riegue en invierno

El romero es un arbusto originario del Mediterráneo que puede alcanzar 1,50 m de altura por 1 m de envergadura. Produce unas hojas perennes en unas ramas erguidas cuyos extremos se cortan. Se deben plantar obligatoriamente a pleno sol, en un balcón orientado al sur.

VARIEDADES

Existen algunas variedades de follaje decorativo de porte más o menos trepador, así como otras de flores blancas o rosas, pero solo la especie tipo es adecuada para un uso culinario.

Bloc de notas

* EXPOSICIÓN: muy soleada, sur.
* NÚMERO DE EJEMPLARES: 1 plantón por balcón.
* CUÁNDO PLANTAR: en marzo-abril.
* TIERRA: ligera y bien drenada, preferentemente ligeramente calcárea.
* DIMENSIONES DE LA MACETA: 40 cm de diámetro.
* CUÁNDO RECOLECTAR: 1 mes después de la plantación, después de marzo, hasta las heladas.

1. Romero en flor.
2. El romero se esqueja en la arena.

Plantar el romero en maceta o en contenedor

El romero crece bien en cualquier lugar si se pone al sol y está protegido de los vientos fríos. En las zonas más frescas, se planta en primavera para que tenga tiempo de desarrollar las raíces antes de la primera estación fría. En las zonas más cálidas, se puede plantar a partir de noviembre. Siempre se vende en maceta o en un contenedor.

1 Sumerja el terrón con su contenedor en un cubo de agua, durante algunos minutos, para empaparlo bien antes de la plantación.

2 Con un trasplantador, practique un hoyo en el mantillo, ligeramente mayor que el volumen del terrón.

3 Saque el romero del agua y dele la vuelta para extraer delicadamente el contenedor. Rasque el terrón para desprender las raíces visibles y potenciar su rápida adaptación al nuevo entorno.

4 Coloque el terrón en el hoyo. La parte superior debe quedar siempre al mismo nivel que la superficie del sustrato. Si es necesario, realice un hoyo mas profundo o añada mantillo (es mejor que el terrón quede demasiado alto que demasiado hundido). Rellene con mantillo la zona de alrededor.

5 Vaya compactando la tierra ligeramente a medida que vaya tapando el hoyo, para que el mantillo esté en contacto con las raíces.

6 Riegue con la regadera hasta que el agua empiece a salir por los orificios de drenaje del fondo.

LA MEJOR MACETA

Como el laurel, el romero puede vivir mucho tiempo, y se debe plantar en una jardinera grande para que pueda desarrollar las raíces libremente. Plántelo en un contenedor cuadrado de unos 40 cm de lado como mínimo (cabe más mantillo que en uno redondo), con la misma profundidad. Se debe plantar solo para que se desarrolle correctamente. El material debe estar bien aireado, porque el romero no soporta la humedad estancada, así que deberá inclinarse por la madera o la terracota sin pintar. Procure que haya varios orificios de drenaje en la base del contenedor.

LA MEJOR TIERRA

Al exigir una tierra muy permeable, el romero no debe plantarse en mantillo puro. Prepare la misma mezcla que para el laurel, con un 50 % de tierra de jardín (con preferencia calcárea) del huerto de algún amigo, 25 % de grava fina y 25 % de poliestireno. Así obtendrá un sustrato ligero y drenante que resultará ideal para el buen desarrollo de la planta.

TRUCO CULINARIO

El romero, de sabor ligeramente amargo, se utiliza tanto fresco como seco para aromatizar carnes o pescados. No lo muela, simplemente coloque la ramita en el guiso para poder retirarla fácilmente en el momento de servir.

EL MEJOR MANTENIMIENTO

Durante el año, y sobre todo durante el verano siguiente a la plantación, se debe regar una vez a la semana, igual que al plantarlo. Durante el invierno, no lo riegue, ya que la humedad puede tener peores consecuencias para las raíces que el frío. Al año siguiente, un riego mensual será suficiente.

Pode el romero cada año después de la floración para eliminar las flores marchitas y favorecer la aparición de nuevas ramas. También resulta útil que tenga un tamaño adecuado al balcón en el que se halle. Sin embargo, no lo pode a partir de septiembre para que los cortes hayan cicatrizado antes de las primeras heladas.

LA RECOLECCIÓN

La recolección de las hojas puede realizarse de abril a octubre cortando las ramitas. Se efectúa con un par de tijeras normales o, mejor aún, con unas tijeras de podar, porque tiene una madera leñosa. Corte el extremo de los tallos, siempre los más perfumados. Puede conservar las hojas que haya recolectado en primavera, antes de la floración, después de haberlas dejado secar a la sombra, y guardarlas simplemente en un tarro de vidrio en la cocina.

El romero es ideal para cultivarlo con la ajedrea y el tomillo, otras plantas aromáticas mediterráneas. ▷

Ajedrea

Opte por la jardinera de madera

La ajedrea vivaz es una planta herbácea aromática que alcanza de 20 a 40 cm de altura y que posee unos tallos muy ramificados y leñosos. Presenta unas hojas pequeñas, estrechas y perfumadas, a las que algunos atribuyen virtudes afrodisíacas.

VARIEDADES

No existen variedades hortícolas de ajedrea vivaz, pero se pueden encontrar variantes u otras especies más o menos interesantes, como *Satureja montana citriodora*, con aroma a limón.

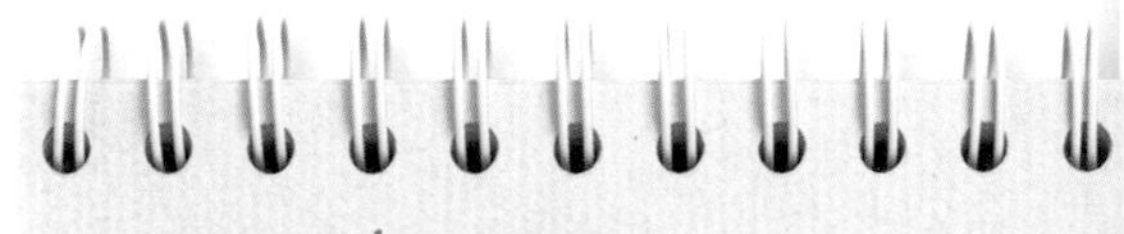

Bloc de notas

* EXPOSICIÓN: soleada, sur.
* NÚMERO DE SOBRES: 1 sobre para la temporada, o 1 plantón para todo el año.
* CUÁNDO SEMBRAR: abril.
* CUÁNDO PLANTAR: en abril o en octubre.
* TIERRA: bien drenada, ligeramente calcárea.
* DIMENSIONES DE LA MACETA: 20 cm de diámetro.
* CUÁNDO RECOLECTAR: 5 meses después de la siembra, o 2 meses después de la plantación.

△ *Satureja montana.*

△ **Estragón, ajedrea, perejil, cebollino y tomillo.**

Plantar la ajedrea en maceta o en contenedor

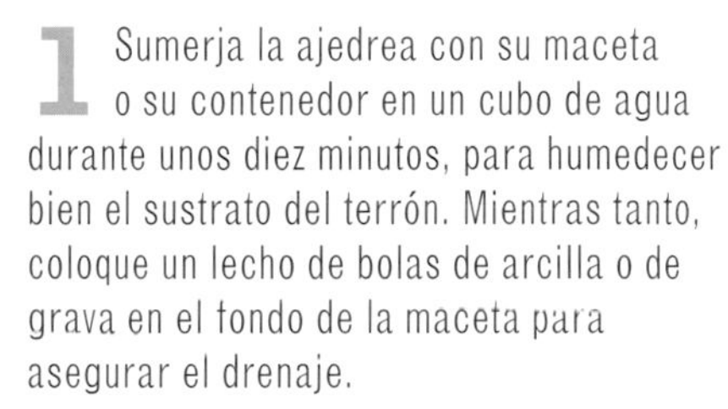

Aunque la ajedrea vivaz se puede comprar en sobres de semillas, es más simple y más rápido optar por ejemplares en plantones, fáciles de encontrar en las tiendas.

1 Sumerja la ajedrea con su maceta o su contenedor en un cubo de agua durante unos diez minutos, para humedecer bien el sustrato del terrón. Mientras tanto, coloque un lecho de bolas de arcilla o de grava en el fondo de la maceta para asegurar el drenaje.

2 Rellene entonces con la mezcla de tierra, hasta 2 cm del borde de la maceta, y practique un hoyo en el centro para colocar el terrón.

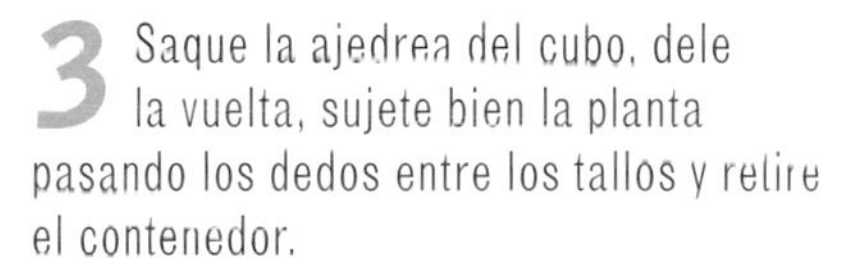

3 Saque la ajedrea del cubo, dele la vuelta, sujete bien la planta pasando los dedos entre los tallos y retire el contenedor.

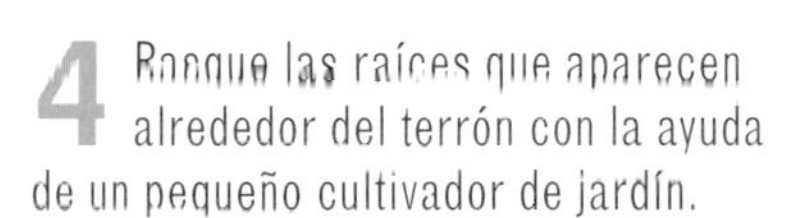

4 Rasque las raíces que aparecen alrededor del terrón con la ayuda de un pequeño cultivador de jardín.

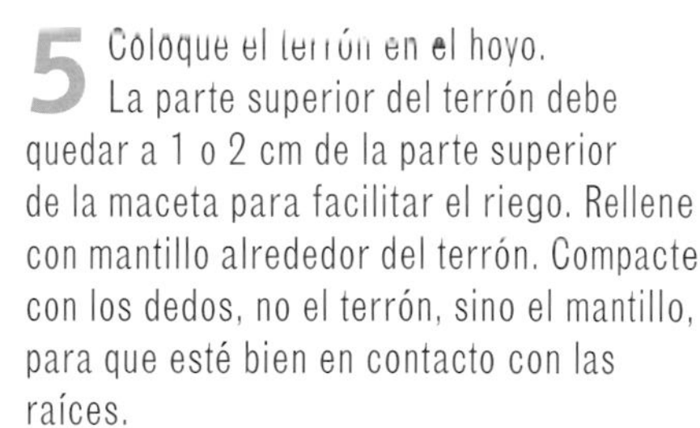

5 Coloque el terrón en el hoyo. La parte superior del terrón debe quedar a 1 o 2 cm de la parte superior de la maceta para facilitar el riego. Rellene con mantillo alrededor del terrón. Compacte con los dedos, no el terrón, sino el mantillo, para que esté bien en contacto con las raíces.

6 Riegue inmediatamente con la manguera o con una regadera de cuello largo, pero sin alcachofa.

> AJEDREA

EL CONSEJO DEL PROFESIONAL

Existe una especie de ajedrea anual (Satureja hortensis), que se siembra directamente en maceta, a pleno sol, en abril o en mayo, cuando el mantillo está caliente (consulte la siembra de las judías). Después, es suficiente con aclarar para conservar solo 1 o 2 plantones. Se recolecta hasta que tienen lugar las primeras heladas, que suponen la muerte de la planta. La ajedrea anual es menos aromática que la emparentada vivaz.

LA RECOLECCIÓN

Recolecte la ajedrea vivaz en función de sus necesidades, de mayo a septiembre. Los brotes más tiernos y más perfumados se deben cortar con un par de tijeras, un cuchillo afilado o simplemente a mano, rompiendo los tallos. La ajedrea florece de julio a octubre. A principios de verano, no dude en cortar por completo toda la planta a 20 cm del mantillo, para eliminar las hojas inútiles y estimular la producción de nuevos brotes tiernos para el final de la temporada. Ponga a secar algunos brotes, recogidos en primavera, para cubrir las necesidades de otoño e invierno. Después, consérvelos en la cocina en un tarro de vidrio.

LA MEJOR MACETA

La ajedrea no es invasora; por tanto, será suficiente una maceta de unos 20 cm de diámetro. Sin embargo, prefiere las tierras secas, y no crecerá en un contenedor que retenga demasiado la humedad y no deje respirar las raíces. Así, evite utilizar recipientes metálicos reciclados, macetas de plástico y todos los materiales «impermeables». La jardinera de madera es, sin ninguna duda, el recipiente más adecuado. Calcule una capa de drenaje de 1/5 de la altura de la maceta.

LA MEJOR TIERRA

La ajedrea vivaz muestra una clara preferencia por los suelos secos, o al menos muy bien drenados, en los que el agua no se acumula a nivel de las raíces. Así, el mantillo estándar que venden en las tiendas no será en absoluto adecuado.

Como en el caso de las otras plantas originarias de la zona mediterránea, prepare una mezcla con un 50 % de tierra de jardín (preferentemente calcárea), un 25 % de grava fina y un 25 % de poliestireno. Obtendrá un sustrato ligero y drenante que resultará perfecto. Si no encuentra arena ni poliestireno para realizar esta mezcla, plante la ajedrea en una tierra de jardín pura. Deberá trasplantarla cada año para que se aireen las raíces.

EL MEJOR MANTENIMIENTO

La ajedrea puede permanecer en su maceta cinco años aproximadamente. Después, es preferible trasplantarla, porque poco a poco va perdiendo su aroma. Se la debe regar una vez a la semana durante el año siguiente a la plantación, y después dejarla para que se desarrolle. A finales de otoño, saque 1 o 2 cm de mantillo de la superficie de la maceta, y sustitúyalo por un compost bien fermentado.

LAS MEJORES COMBINACIONES

Como la mayoría de las plantas aromáticas, la proximidad de la ajedrea vivaz es muy valorada por muchas plantas del balcón, ya que ahuyenta a algunos parásitos. También parece beneficiosa para la judía.

△ Los brotes más tiernos se cortan con tijeras, un cuchillo afilado o a mano.

TRUCO CULINARIO

El sabor de la ajedrea es picante y ligeramente amargo, pero muy agradable en boca. Sus hojas desprenden más perfume si se pican antes de su uso, pero en todos los casos añádala siempre al final de la preparación o de la cocción. Utilícela también para aromatizar un vinagre corriente.

SALVIA OFFICINALIS

Salvia

Ahuyenta a los parásitos

La salvia es una planta vivaz que los jardineros conocen desde la antigüedad, lo que muestra lo reconocidas que son sus virtudes. En el jardín y en el balcón, es imprescindible en varios sentidos: se utiliza, evidentemente, como aromatizante para la preparación de las aves, el cordero o las piezas de caza, pero también ahuyenta a ciertos parásitos, y resulta decorativa gracias a su follaje perenne. Sus hojas arrugadas calman incluso las picaduras de los insectos.

VARIEDADES

La salvia tipo es la más habitual, pero pueden ser más atractivas las variedades «Icterina», de follaje variegado; «Tricolor», variegada también, pero con matices púrpura; o bien la especie *Salvia lavandulifolia*, por su aroma más intenso.

LA MEJOR MACETA

Una maceta de unos 20 cm de diámetro bastará para la salvia. Evite plantarla en un contenedor que retenga demasiado la humedad y que no permita que sus raíces respiren. Si debe soportar estas condiciones en verano, en invierno será más sensible al frío.

No utilice los recipientes metálicos reciclados, las macetas de plástico y todos los materiales «impermeables». La jardinera de madera, por su parte, es el recipiente más adecuado.

LA MEJOR TIERRA

Como la mayoría de las plantas aromáticas originarias de la región mediterránea, la salvia muestra una clara preferencia por los suelos secos y cálidos, o al menos muy bien drenados, donde el agua no se acumula a nivel de

Bloc de notas

* EXPOSICIÓN: soleada, sur.
* NÚMERO DE SOBRES: 1 o 2 plantones para todo el año.
* CUÁNDO PLANTAR: en marzo-abril.
* TIERRA: bien drenada, ligeramente calcárea.
* DIMENSIONES DE LA MACETA: 20 cm de diámetro.
* CUÁNDO RECOLECTAR: 5 meses después de la plantación, después de mayo a octubre.

Plantar la salvia en maceta o en contenedor

Naturalmente, la salvia se vende en sobres de semillas, pero siempre es más fácil y más rápido optar por plantones, fáciles de encontrar en los centros de jardinería o en los catálogos especializados. Si adquiere los plantones en macetas, les proporcionará el tiempo necesario para acomodarse el primer año, y podrá empezar a recolectar las primeras hojas durante la primavera siguiente. Con una planta en contenedor, es posible incluso recolectarlas dos meses después de la plantación.

1 Sumerja la salvia con su maceta o su contenedor en un cubo de agua tibia durante unos diez minutos para humedecer bien el sustrato del terrón antes de la plantación. Mientras tanto, coloque un lecho de bolas de arcilla o de grava en el fondo de la maceta para garantizar un drenaje eficaz del sustrato después de cada riego. Prevea un grosor de 1/5 de la altura de la maceta.

2 Rellene con la mezcla de tierra aligerada preparada por usted, hasta 1 o 2 cm del borde de la maceta, y practique un hoyo en el centro para colocar el terrón.

3 Saque la salvia del cubo, dele la vuelta, sujete la planta con los dedos entre los tallos y extraiga el contenedor. Rasque las raíces que aparecen alrededor del terrón con un tenedor o con los dedos. Esta operación facilitará que vuelva a crecer.

4 Coloque el terrón en el hoyo. La parte superior del terrón debe quedar a ras del mantillo. Rellene con mantillo alrededor del terrón. Compacte con los dedos el mantillo añadido para que esté bien en contacto con las raíces.

5 Riegue inmediatamente con una manguera o una regadera de cuello largo, pero sin alcachofa.

> SALVIA

EL CONSEJO DEL PROFESIONAL

¿Cómo multiplicar fácilmente la salvia? *La salvia vivaz posee la facultad de acodarse fácilmente por sí sola. Así, sus tallos inferiores arraigan en el mantillo si entran en contacto con él. Aproveche estos jóvenes plantones gratuitos para regalárselos a alguien o simplemente para renovar su planta. Arranque estos trocitos arraigados en marzo o en abril, después de cortar el tallo que los une con el pie madre, y trasplántelos en otra maceta, siempre con la misma mezcla aligerada.*

las raíces. Así, el mantillo habitual de las tiendas no es el mejor sustrato…

Teniendo en cuenta que se trata de una planta vivaz que conservará varios años en el balcón, es preferible emplear una mezcla adecuada desde el momento de la plantación. Así, prepare una mezcla con un 50 % de tierra de jardín (preferentemente calcárea) del huerto de algún amigo, un 25 % de grava fina y un 25 % de poliestireno o de perlita. Con todo esto obtendrá un sustrato ligero y drenante que será ideal.

EL MEJOR MANTENIMIENTO

La salvia puede permanecer en la misma maceta durante varios años. Después, es preferible trasplantarla, aunque solo sea para renovar también el sustrato.

Durante el año de su plantación, se la debe regar una vez por semana, aunque después se conforma con poco. Cada año, a finales del otoño, corte todos los tallos a 11 o 12 cm del mantillo para controlar mejor el desarrollo de la mata, y extraiga 1 o 2 cm de mantillo de la superficie de la maceta y sustitúyalo por un compost bien descompuesto.

LAS MEJORES COMBINACIONES

Como la mayoría de las plantas aromáticas, la salvia vivaz es muy apreciada por el resto de plantas del balcón, ya que ahuyenta a algunos parásitos, sobre todo a las mariposas. Crece especialmente bien en compañía del romero. Entonces, ¿por qué no cultivarlos juntos en la misma jardinera?

LA RECOLECCIÓN

Recolecte la salvia vivaz a medida que la vaya necesitando, de mayo hasta las primeras heladas. Se recoge a mano o con una herramienta, cortando los extremos de los brotes más tiernos y más perfumados. La salvia florece en junio y julio. Elimine estas flores, que no tienen ninguna utilidad, para favorecer la producción de nuevos brotes tiernos hacia finales de la temporada. También puede secar algunos brotes, recogidos antes de la floración, para cubrir sus necesidades en otoño y en invierno. Conserve las hojas secas enteras (sin molerlas) en la cocina en un tarro de vidrio.

S.O.S.

Mi salvia está muy fea. La salvia no soporta el frío intenso y, según la orientación del balcón y su exposición al viento, puede que no soporte el invierno. Como prevención, cubra la maceta con cartones, aléjela del suelo colocándola sobre un trozo de poliestireno, y cubra la superficie del mantillo con un producto de acolchado.

Los plantones pequeños de salvia comprados en macetas se cultivan muy fácilmente. ▷

△ Si añade unas hojas de salvia al agua de cocción de las habas y las judías, facilitará su digestión

TRUCO CULINARIO

Aunque la salvia es útil para aromatizar ciertos platos, también se debe saber emplear para facilitar la digestión de ciertas verduras. Así, añadir unas hojas al agua de cocción de habas, judías y otras plantas que pueden hacernos sentir molestos son suficientes para reducir, o incluso eliminar, estos efectos indeseados.

THYMUS VULGARIS

Tomillo

Aroma campestre

Esta planta aromática, muy usada como condimento y característica de nuestro campo, no necesita presentación. Forma un pequeño arbusto de tallos leñosos de 20 a 40 cm de altura, erguidos y ramificados. Estos tallos presentan pequeñas flores perennes, estrechas y perfumadas, verdes en el haz, pero grisáceas en el envés.

VARIEDADES

El tomillo de Provenza es, con diferencia, el más aromático, pero resulta muy interesante cultivar varias especies o variedades en función de su olor, para combinarlas en la cocina. El sabor de *Thymus fragrantissimus* recuerda a la naranja, *Thymus citriodorus* se parece al limón, mientras que *Thymus herba-barona* tiene reminiscencias al comino.

LA MEJOR MACETA

El tomillo no es invasor, y una maceta de unos 20 cm de diámetro será suficiente. Como la ajedrea, no soporta el exceso de humedad, y prefiere las tierras secas. Vegeta en un contenedor que retiene demasiado la humedad y que no deja que sus raíces respiren. Plántelo en una maceta de terracota sin pintar, o en una jardinera de madera.

LA MEJOR TIERRA

El tomillo prefiere los suelos secos, en los que el agua no se acumula en las raíces. Así, no se debe utilizar el mantillo que se vende en las tiendas. Como en el caso de las plantas originarias de la cuenca mediterránea, prepare una mezcla con un 50 % de tierra de jardín (preferentemente calcárea) del huerto de algún amigo y un 50 % de grava fina. Obtendrá un sustrato ligero y drenante que se caldeará con rapidez con el menor rayo de sol, para gran satisfacción del tomillo...

Bloc de notas

* EXPOSICIÓN: soleada, sur.
* NÚMERO DE SOBRES: 1 sobre para la temporada, o 1 a 5 plantones para todo el año.
* CUÁNDO SEMBRAR: abril-mayo.
* CUÁNDO PLANTAR: en marzo-abril o en septiembre.
* TIERRA: cualquier tierra bien drenada.
* DIMENSIONES DE LA MACETA: 20 cm de diámetro.
* CUÁNDO RECOLECTAR: 1 año después de sembrar, o 2 meses después de la plantación.

Plantar el tomillo en maceta o en contenedor

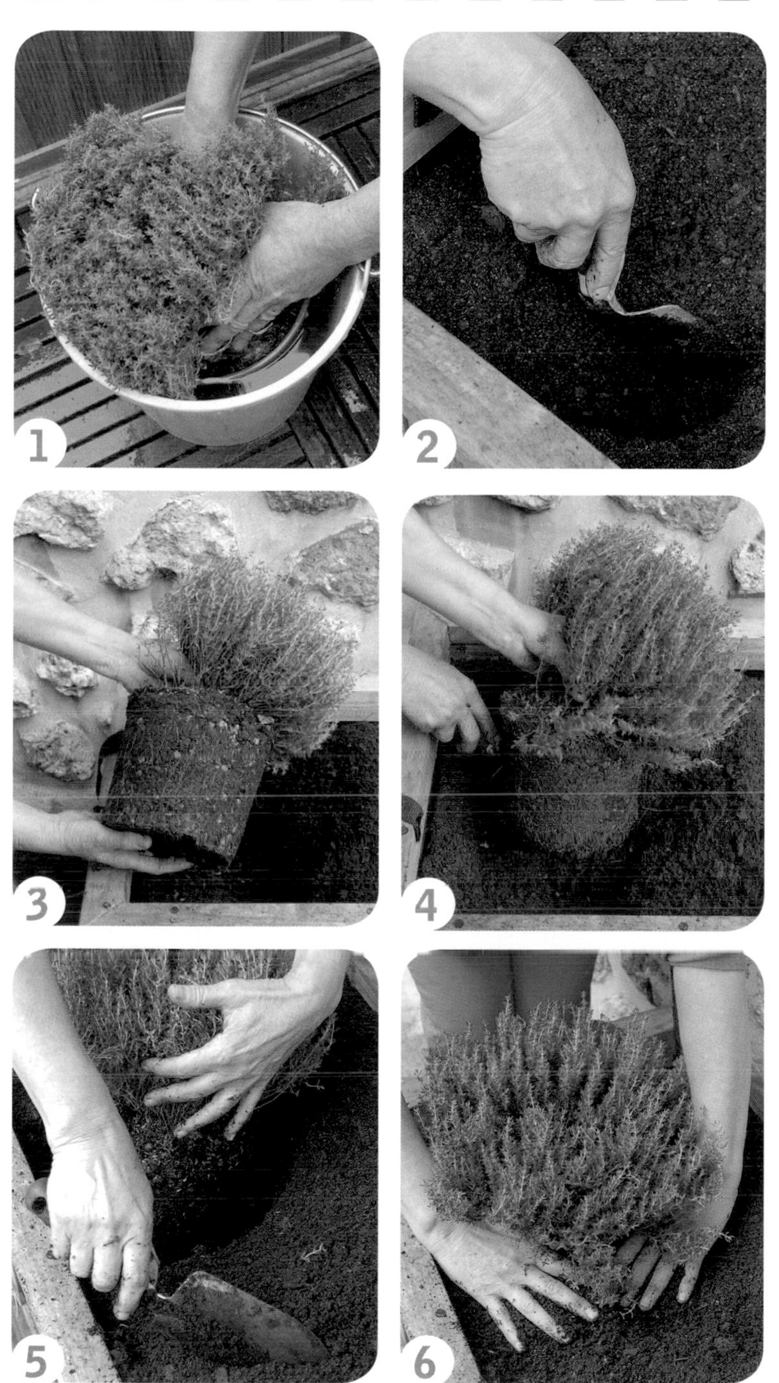

Como la ajedrea vivaz, el tomillo está disponible en sobres de semillas, pero es más simple y más rápido optar por los plantones, fáciles de encontrar en las tiendas o comprándolos por correspondencia a los productores especializados.

1 Sumerja la maceta de tomillo en un cubo de agua durante unos diez minutos para humedecer bien el sustrato del terrón antes de la plantación.

2 Rellene la maceta con la mezcla de tierra, hasta 2 cm del borde de la misma. Practique un hoyo en el centro para colocar el terrón.

3 Saque el tomillo del agua, dele la vuelta, sujete bien la planta pasando los dedos entre los tallos, y retire el contenedor.

4 Rasque las raíces que aparecen alrededor del terrón con un pequeño cultivador de jardín. Coloque el terrón en el hoyo para que la parte superior quede 1 o 2 cm por debajo del nivel de la maceta, para facilitar el riego posterior.

5 Rellene con mantillo alrededor del terrón.

6 Compacte con los dedos el mantillo que ha añadido para que esté bien en contacto con las raíces. Riegue inmediatamente con una regadera de cuello largo, pero sin alcachofa.

> TOMILLO

EL CONSEJO DEL PROFESIONAL

En marzo o abril, cuando ya no exista riesgo de grandes heladas, no dude en cortar los pies de tomillo a unos 5 cm del mantillo, con unas tijeras de podar. Esta poda de primavera favorece el nacimiento de muchos brotes nuevos, evidentemente más perfumados, al mismo tiempo que permite que la planta conserve un porte redondeado con un efecto muy atractivo.

EL MEJOR MANTENIMIENTO

El tomillo puede permanecer aproximadamente durante cinco años en la misma maceta. Transcurrido ese tiempo, es preferible reemplazarlo por una planta joven, que será más vigorosa y que producirá brotes jóvenes y perfumados.

Además, es imprescindible regarlo una vez a la semana durante el año posterior a la plantación, para facilitar que las raíces agarren y se desarrollen en su nuevo entorno. A partir de este momento, riegue solo en caso de sequía. A finales de otoño, retire 1 o 2 cm de mantillo de la superficie de la maceta y sustitúyalo por un compost bien descompuesto.

LAS MEJORES COMBINACIONES

Todas las plantas de balcón agradecen la proximidad del tomillo porque su intenso aroma ahuyenta a algunos parásitos, especialmente a las mariposas. Sin embargo, atención: parece que evita que ciertas semillas germinen. Así, es preferible cultivarlo en una maceta aparte, más que en una jardinera grande en la que tenga que convivir en alguna ocasión con semillas.

LA RECOLECCIÓN

El tomillo se recolecta durante todo el año, incluso en invierno. Actúe en función de sus necesidades: corte los brotes más tiernos y más aromáticos con un par de tijeras, un cuchillo afilado o simplemente a mano, rompiendo los tallos. Así, no hace falta que se tome la molestia de dejarlo secar para el invierno...

TRUCO CULINARIO

El sabor del tomillo es ligeramente picante, pero muy agradable. Aunque puede añadir la ramita entera en el guiso, como en el caso del romero, suelen utilizarse solo las hojas: pase las ramitas entre el pulgar y el índice. Los amantes de las infusiones no desecharán las flores del tomillo, porque son justamente estos extremos floridos los que se utilizan en las infusiones.

Riegue el tomillo con calma, con una simple pasada con la regadera (con alcachofa). ▷

LYCOPERSICON ESCULENTUM

Tomate

Plante las tomateras con un tutor

Como la berenjena y el pimiento, la tomatera es una planta que no soporta las heladas. Su cultivo es amplio (cinco meses), por lo que debe sembrarse dentro de casa o en un invernadero para obtener frutos a partir de julio. También puede comprar plantones, que tendrá que plantar directamente en el balcón después de las últimas heladas, en abril o en mayo.

VARIEDADES

Existen tantísimas variedades de tomates que resulta difícil realizar una selección. Entre las variedades de frutos pequeños, llamados «cereza», las más interesantes en el balcón son «Apéro» y «Piccolo», que tienen una piel más fina. «Tiny Tim» y «Miniboy» no superan los 25 y 50 cm de altura, respectivamente, y son particularmente útiles en macetas sin tutor. Los amantes de las curiosidades pueden probar «Green Grape», de frutos verdes, o incluso «Tumbling Tom Yellow», de ramas colgantes y cubiertas de frutos amarillos dorados, ideales para las macetas colgadas. Entre las variedades clásicas, no puede olvidarse de «Gardener's Delight» y «Myriade», cuyos frutos, de tamaño razonable, tienen un sabor delicioso.

Tomate «Green Grape». ▷

Bloc de notas

* EXPOSICIÓN: a pleno sol.
* NÚMERO DE SOBRES: 1 sobre para la temporada, o bien de 3 a 5 plantones.
* DIMENSIONES DE LA MACETA: maceta o jardinera grande de 30 × 30 cm.
* CUÁNDO SEMBRAR: de febrero a abril.
* TIERRA: rica en humus y fresca.
* CUÁNDO RECOLECTAR: 5 meses después de la siembra.

Sembrar con éxito las tomateras

En las zonas frías y en las regiones montañosas, se debe esperar a finales de mayo para plantarlas en el exterior. La siembra debe producirse, en el mejor de los casos, a finales del mes de marzo. Cuanto más templada sea la zona, antes se podrán sacar los plantones y, por tanto, antes se podrán sembrar.

1 Rellene macetas de turba con mantillo para sembrar y colóquelas en un miniinvernadero con calefacción, en una habitación de la casa o debajo del porche si tiene calefacción.

2-3 Coloque 3 semillas por maceta, en triángulo, separadas unos 2 o 3 cm. Húndalas con el dedo de forma que queden cubiertas con 1 cm de mantillo bien tamizado.

4-5 Compacte con los dedos, y riegue a modo de lluvia fina para humedecer bien el sustrato.

6 Cierre el invernadero. Las semillas brotarán en unos 6 a 8 días. Entonces, aproxime el miniinvernadero a una ventana.

Al cabo de un mes, arranque de cada maceta los dos plantones menos vigorosos para facilitar el desarrollo del que quede. Sujételos entre el pulgar y el índice, por la base, y simplemente levántelos. Compacte con los dedos alrededor del plantón que haya conservado, porque puede haber quedado levantado al arrancar los plantones vecinos. Riegue inmediatamente. Desconecte la calefacción del invernadero y manténgalo siempre entreabierto.

EL CONSEJO DEL PROFESIONAL

Las variedades «cereza» no exigen ninguna poda. Permita que las ramas se enreden. En cambio, pode las variedades de frutos grandes: elimine sistemáticamente las ramas que nacen en la axila de las hojas. La mayoría de las variedades crecen como una liana. Le interesará cortar este tallo principal por encima de la quinta yema de flores, para que la planta se centre en la formación de los frutos. Si donde vive, el buen tiempo se limita a una temporada demasiado breve, o si se ha retrasado, consiga plantones injertados. Producen frutos con mayor rapidez que los plantones tradicionales.

LA MEJOR MACETA

La tomatera solo se desarrolla bien en una tierra profunda y poco compactada. Así, en el balcón, se debe plantar en una jardinera grande, de 30 x 30 cm como mínimo, con un mantillo con una profundidad de al menos 30 cm, sin contar la capa drenante. A las tomateras les gustan las tierras frescas, pero no toleran los suelos demasiado húmedos. Por tanto, es mejor evitar plantarlas en los contenedores con paredes impermeables, de metal o de plástico, y reservarles los de madera o terracota.

LA MEJOR TIERRA

Las tomateras sienten predilección por los sustratos frescos y ligeros, que no se compacten. Así, consiga un mantillo «para huerto» o «para plantar», al que deberá añadir bolas de poliestireno por un tercio del volumen. Para satisfacer su gusto por el compost, opte preferentemente por mantillos enriquecidos. Si no puede conseguirlos, añada su propio compost casero al sustrato, a razón de un 25 % del volumen total.

EL MEJOR MANTENIMIENTO

Es suficiente con mantener el mantillo fresco para que los plantones crezcan con regularidad. No deben crecer con demasiada rapidez, y adquirir más bien diámetro que altura. No obstante, si las plantas consiguen tocar la tapa medio levantada del miniinvernadero, ábralo por completo. Dos semanas antes del periodo previsto para su ubicación en la jardinera, saque cada día el miniinvernadero al balcón durante las mejores horas del día para aclimatar los plantones y hacer que el paso de casa al balcón resulte menos traumático.

Plante los plantones en su jardinera definitiva, con su maceta de turba, cuyas paredes deben estar ya atravesadas por las raíces. La superficie de la maceta puede quedar enterrada unos 2 o 3 cm. Si el plantón mide más de 20 cm de altura, puede incluso tumbarlo en el hoyo de plantación, de manera que salga del mantillo solo la parte superior. En la parte enterrada del tallo aparecerán nuevas raíces, lo que potenciará la capacidad de la planta para alimentarse. Así será más productiva.

Las tomateras necesitan espacio y luz. Por esa razón, no plante nada a menos de 25 cm de cada plantón, y calcule unos 50 cm como mínimo entre dos plantones. Riegue en abundancia al pie de la planta sin que se mojen las hojas. Acolche para mantener el frescor.

Salvo en el caso de ciertas variedades enanas, ponga un tutor al pie de cada plantón, para fijar (sin apretar) el o los tallos a medida que se vayan desarrollando. Opte por las estructuras en forma de obelisco, porque siempre son más estables que los tutores únicos, que suelen doblarse debido a la falta de anclaje en el mantillo.

LA RECOLECCIÓN

Calcule aproximadamente unos 5 meses entre la siembra y el inicio de la recolección, es decir, que podrá recoger los frutos a partir de julio. Recolecte los tomates a medida que los vaya necesitando, cuando tengan un buen color. Sostenga los frutos grandes en la palma de la mano y coloque el pulgar en la parte hinchada del pedúnculo. Levante el fruto hacia arriba para romper el pedúnculo. Recoja los tomates cereza uno a uno o cortando el racimo con unas tijeras de podar.

▽ Plante siempre un clavel de las Indias al pie de cada tomatera para que lo proteja.

> TOMATE

LAS MEJORES COMBINACIONES

La tomatera puede plantarse con la albahaca (se consumen juntas), el perejil, la zanahoria, los canónigos… En cambio, se debe evitar colocarla cerca de las plantas de la familia de las cucurbitáceas, ya que parecen alterar su crecimiento. Los claveles de las Indias, cuando se plantan a su pie, ahuyentan a ciertos gusanos que pueden hallarse en el suelo.

TRUCO CULINARIO

Como todas las hortalizas que son un fruto, los tomates resultan deliciosos si se consumen lo antes posible tras su recolección. Como el balcón suele estar cerca de la cocina o de la sala de estar, son los lugares ideales para saborear los tomates frescos acabados de recoger y de lavar. Incluso puede invitar a los comensales a recolectar directamente su plato…

S.O.S.

Se ha roto una rama por el peso de los tomates. En un huerto, esto suele suceder con las variedades que tienen frutos grandes. En el balcón, el viento suele ser el responsable de esas roturas. No tiene importancia; recoja los frutos que no estén maduros y forme una hilera sobre una estantería del balcón, a pleno sol. Así terminarán de madurar, aunque pierdan algo de sabor al dejar de ser alimentados por la planta.

Nunca pode los plantones de tomates cereza para obtener más frutos. ▷

Calendario del huerto en el balcón

Enero

- Comprar el mantillo y los materiales para drenar y aligerar la tierra, y protegerlos de las heladas.
- Limpiar y desinfectar los contenedores vacíos de años anteriores.
- Preparar los nuevos contenedores (drenaje, ruedas...).
- Recoger las hojas de laurel.

Febrero

- Comprobar las reservas de macetas de turba.
- Preparar la mezcla de tierra para la berenjena.
- Sembrar las coles repollo en el miniinvernadero con calefacción.
- Sembrar las habas en el balcón.
- Sembrar los pimientos en el miniinvernadero con calefacción.
- Sembrar los tomates en el miniinvernadero con calefacción.
- Recoger las hojas de laurel.

Marzo

- Preparar la mezcla de tierra para la zanahoria.
- Sembrar las berenjenas en el miniinvernadero con calefacción.
- Sembrar las coles repollo en el miniinvernadero con calefacción.
- Sembrar los cebollinos.
- Sembrar las habas en el balcón.
- Sembrar la menta.
- Sembrar el perejil.
- Sembrar los guisantes.
- Sembrar los pimientos en el miniinvernadero con calefacción.
- Sembrar los rábanos.
- Sembrar los tomates en el miniinvernadero con calefacción.
- Plantar el laurel.
- Plantar el romero.
- Plantar la salvia.
- Recoger las hojas de laurel.
- Recoger las ramitas de romero.

Abril

- Preparar la mezcla de tierra para la remolacha.
- Sembrar las zanahorias.
- Sembrar los cebollinos.
- Sembrar los calabacines en el miniinvernadero.
- Sembrar las judías.
- Sembrar las lechugas.
- Sembrar la menta.
- Sembrar el perejil.
- Sembrar las acelgas.
- Sembrar los guisantes.
- Sembrar los pimientos en el miniinvernadero con calefacción.
- Sembrar los rábanos.
- Sembrar la ajedrea.
- Sembrar el tomillo.
- Sembrar las tomateras en el miniinvernadero con calefacción.
- Plantar la albahaca.
- Plantar las coles repollo sembradas en febrero.
- Plantar el laurel.
- Plantar el romero.
- Plantar la salvia.
- Plantar las tomateras sembradas en febrero.
- Recoger las hojas de laurel.
- Recolectar los rábanos sembrados en marzo.
- Recoger las ramitas de romero.
- Recolectar la ajedrea plantada en octubre.
- Recolectar el tomillo sembrado en primavera el año anterior.
- Recolectar el tomillo plantado en un contenedor en octubre.

Mayo

- Acolchar la superficie del mantillo de todas las macetas.
- Sembrar las remolachas directamente en su jardinera.
- Sembrar las zanahorias.
- Sembrar los calabacines directamente en el balcón, o plantar los calabacines sembrados en abril.
- Sembrar las judías.
- Sembrar las lechugas.
- Sembrar o plantar la menta.
- Sembrar o plantar el perejil.
- Sembrar las acelgas.
- Sembrar los guisantes.
- Sembrar los rábanos.
- Sembrar el tomillo.
- Plantar las berenjenas en su jardinera.
- Plantar la albahaca.
- Plantar las coles repollo sembradas en marzo, o compradas en plantón.
- Plantar los cebollinos.
- Plantar los pimientos en la jardinera.
- Plantar las tomateras sembradas en marzo o compradas en plantones.
- Recolectar las habas sembradas en febrero.
- Recolectar las fresas.
- Recoger las hojas de laurel.
- Recolectar el romero.
- Recolectar los rábanos sembrados en abril.
- Recolectar la ajedrea plantada en un contenedor en octubre.
- Recolectar la salvia plantada en una maceta en primavera el año anterior.
- Recolectar el tomillo sembrado en primavera el año anterior.
- Recolectar el tomillo sembrado en un contenedor en otoño.

Junio

- Prever los sistemas de sombreado para los balcones orientados al sur.
- Podar los pies de berenjenas por encima de la segunda flor.
- Sembrar las zanahorias.
- Sembrar las judías.
- Sembrar las lechugas
- Sembrar los rábanos.
- Recolectar la albahaca.
- Recolectar los calabacines sembrados en un miniinvernadero en abril.
- Recolectar las coles repollo sembradas en febrero.
- Recolectar las habas sembradas en febrero.
- Recolectar las fresas.
- Recolectar las lechugas sembradas en abril.
- Recoger las hojas de laurel.
- Recolectar el perejil sembrado en marzo.
- Recolectar los guisantes sembrados en marzo.
- Recolectar los rábanos sembrados en mayo.
- Recoger las ramitas de romero.
- Recolectar la ajedrea plantada en un contenedor en octubre.
- Recolectar la salvia plantada en una maceta en primavera el año anterior.
- Recolectar el tomillo sembrado en primavera el año anterior.
- Recolectar el tomillo plantado en un contenedor en otoño.

Julio

- Instalar un recuperador de agua de lluvia en el bajante de un canalón.
- Sembrar las zanahorias.
- Sembrar las judías.
- Recolectar las lechugas sembradas en mayo.
- Sembrar las lechugas.
- Sembrar los canónigos.
- Sembrar los rábanos.
- Recolectar la albahaca.
- Recolectar las zanahorias sembradas en abril.
- Recolectar las coles repollo sembradas en marzo.
- Recolectar los cebollinos.
- Recolectar los calabacines sembrados en mayo.
- Recolectar las habas sembradas en marzo.
- Recolectar las fresas.
- Recolectar las judías sembradas en abril.
- Recolectar el tomillo sembrado en primavera el año anterior.

Julio *(cont.)*

- Recoger las hojas de laurel.
- Recolectar el perejil sembrado en marzo y en abril.
- Recolectar las acelgas sembradas en abril.
- Recolectar el romero.
- Recolectar la ajedrea plantada en un contenedor en octubre.
- Recolectar la salvia plantada en una maceta en primavera el año anterior.
- Recolectar el tomillo plantado en un contenedor en otoño.
- Recolectar los tomates sembrados en febrero.

Agosto

- Sembrar las lechugas.
- Sembrar los canónigos.
- Sembrar los rábanos.
- Plantar las fresas.
- Empezar la recolección de las berenjenas.
- Recolectar la albahaca.
- Recolectar las zanahorias sembradas en mayo.
- Recolectar los cebollinos.
- Recolectar los calabacines sembrados en mayo.
- Recolectar las habas sembradas en marzo.
- Recolectar las fresas.
- Recolectar las judías sembradas en mayo.
- Recolectar las lechugas sembradas en junio.
- Recoger las hojas de laurel.
- Recolectar la menta sembrada en marzo.
- Recolectar el perejil sembrado de marzo a mayo.
- Recolectar las acelgas sembradas en mayo.
- Recolectar los guisantes sembrados en mayo.
- Recolectar los pimientos sembrados en marzo.
- Recolectar los rábanos sembrados en julio.
- Recoger las ramitas de romero.
- Recolectar la ajedrea plantada en un contenedor en octubre.
- Recolectar la salvia plantada en una maceta en primavera el año anterior.
- Recolectar la salvia plantada en un contenedor en marzo.
- Recolectar el tomillo sembrado en primavera el año anterior.
- Recolectar el tomillo plantado en un contenedor en otoño.
- Recolectar los tomates sembrados en febrero y en marzo.

Septiembre

- Sembrar las lechugas.
- Sembrar los canónigos.
- Sembrar los rábanos.
- Plantar las fresas.
- Plantar el tomillo.
- Empezar la recolección de las remolachas.
- Recolectar la albahaca.
- Recolectar la salvia plantada en una maceta en primavera el año anterior.
- Recolectar las zanahorias sembradas en junio.
- Recolectar los cebollinos.
- Recolectar los calabacines sembrados en mayo.
- Recolectar las judías sembradas en junio.
- Recolectar la salvia plantada en marzo y en abril.
- Recolectar el tomillo sembrado en primavera el año anterior.
- Recolectar las lechugas sembradas en julio.
- Recoger las hojas de laurel.
- Recolectar la menta sembrada en abril.
- Recolectar el perejil.
- Recolectar los pimientos sembrados en abril.
- Recolectar el tomillo plantado en una maceta en otoño el año anterior.
- Recolectar los rábanos sembrados en agosto.
- Recoger las ramitas de romero.
- Recolectar la ajedrea sembrada en abril.
- Recolectar la ajedrea plantada en un contenedor en octubre.
- Recolectar los tomates sembrados en marzo y en abril.

Octubre

- Cerrar el grifo exterior, como protección en caso de heladas.
- Colocar las plantas vivaces más susceptibles al frío en el invernadero de balcón.
- Si no tiene, protéjalas con cartones o con lona de invernaje.
- Guardar en un lugar sin riesgo de heladas las mangueras, las regaderas y los pulverizadores.
- Colocar una botella de plástico rellena de arena en el recipiente de recuperación del agua de lluvia.
- Plantar las fresas.
- Plantar la ajedrea.
- Recolectar la albahaca.
- Recolectar las zanahorias sembradas en julio.
- Recolectar los cebollinos.
- Recolectar las judías sembradas en julio.
- Recoger las hojas de laurel.
- Recolectar los canónigos sembrados en julio.
- Recolectar la menta sembrada en mayo.
- Recolectar el perejil.
- Recolectar los rábanos sembrados en septiembre.
- Recoger las ramitas de romero.
- Recolectar la ajedrea plantada en un contenedor en octubre.
- Recolectar la salvia plantada en una maceta en primavera el año anterior.
- Recolectar la salvia plantada en marzo y en abril.
- Recolectar el tomillo sembrado en primavera el año anterior.
- Recolectar el tomillo plantado en maceta en otoño el año anterior.

Noviembre

- Instalar un grifo perforador en la vivienda.
- Colocar los ganchos y los colgadores para las macetas suspendidas del año siguiente.
- Retirar de los enrejados las hojas secas de las plantas trepadoras anuales.
- Recolectar los canónigos sembrados en agosto.
- Recolectar los cebollinos.
- Recolectar el laurel.
- Recolectar el perejil.
- Recoger las ramitas de romero.

Diciembre

- Informarse sobre la normativa vigente.
- Vaciar el mantillo utilizado en los contenedores que se han quedado sin hortalizas.
- Colocar nuevos enrejados en las paredes.
- Encargar los abonos necesarios
- Recolectar los canónigos sembrados en septiembre.
- Recoger las hojas de laurel.

Índice

Los números en negrita remiten a las fichas descriptivas.

D

E

F

G

H

I

J

L

M

N-O

O

P

R

S

T

V

Z

Agradecimientos

El autor desea dar las gracias en especial a los siguientes proveedores por su ayuda en la realización de la presente obra:

Algoflash, www.algoflash.com (mantillo)
Algo Forestier, http://fibralgo-algoforestier-paillage-compost-bio.fibralgo.fr/ (mantillo)
Baumaux, www.baumaux.com (semillas)
CP-Jardin (productos ecológicos)
Devaux, www.devaux.fr (herramientas)
Falienor, www.falienor.com (mantillo)
Florendi, www.florendi.com (mantillo)
Forest Style, www.forest-style.com (jardineras)
Gardena, www.gardena.es (manguera microporosa, machos para grifos sin rosca...)
Hozelock, www.hozelock-tricoflex.com (terminales de riego)
Intermas, www.intermas.com (tutores, lonas)
Jardin express, www.jardinexpress.fr (miniplantones + acolchado Humiwool)
Magellan, www.magellan-bio.fr (mantillo + abono ecológico)
Mermier, www.mermier.com (herramientas)
Novajardin, www.novajardin.fr (mantillo)
Or Brun, www.or-brun.com (mantillo)
Ribimex, www.ribimex.com (manguera microporosa)
Romberg, http://romberg.de/fr (miniinvernaderos, macetas de turba)
Tourly, www.tourly.com (plantones)
Water Tube c/o Naturabilis, joelle.delatullaye@naturabilis.fr (sistema protector Kang'o)
Wolf, www.outils-wolf.com (herramientas)

Créditos fotográficos

Abreviaciones utilizadas:
a = arriba; c = centro; ab = abajo; d = derecha; i = izquierda.

© Philippe Asseray: 11 a, 12, 13 a, 15, 16 (4 fotos), 18, 20, 21 (4 fotos), 23 (2 fotos), 24 (2 fotos), 25 (3 fotos), 26 (2 fotos), 29 i, 31 (5 fotos), 41 (4 fotos), 45 (6 fotos), 46, 49 (6 fotos), 50, 51, 59 (5 fotos), 63 (4 fotos), 67 (6 fotos), 68 ab i, 71 (3 fotos), 75 (4 fotos), 77 a (4 fotos), 81 (5 fotos), 82 a, 85 a (4 fotos), 86, 96 a, 97 (4 fotos), 98, 101 (3 fotos), 105 (4 fotos), 106, 107 a, 109 (5 fotos), 121 (5 fotos), 129 (6 fotos), 130, 131 (2 fotos).

© Baumaux: 30 ab, 32, 40 ab, 44 ab d (2 fotos), 48 ab (3 fotos), 58 ab, 62 ab (2 fotos), 70 ab (3 fotos), 74 ab (3 fotos), 84 ab (3 fotos), 88 ab (2 fotos), 92 ab (2 fotos), 96 ab (2 fotos), 100 ab (3 fotos), 104 ab (2 fotos), 108 ab (3 fotos), 128 ab.

Cap-photos ©: Marre Frédéric / 30 a, 58 a. Hochel Christian 64 a d.

© Catherine Delvaux 66, 74 a, 92 a.

© Digitalice: 116 a d.

Digitalice © Harold Vespieren: 13 ab, 29 d, 33 a, 68 a d, 128 a.

Fotlia ©: Martina Berg 42. Petra Louise 7 d, 102. Pat Fauve 127.

Gettyimages ©: Grady Coppeli 7 i, 44 ab i. DR 61 a. Nigel Cattlin 100 a. Linda Burgess 110.

Istock ©: Merlin Farwell 47 a. Atwag 62 a. Marcelo Wain 64 ab i. Tobias Helbig 108 a. Joy Prescott 112 ab i. Philippe Bonduel 112 ab d. Carde Gomez 123 a. Katie West 126.

© Agence MAP/Mise au point: Arnaud Descat 103Nicole y Patrick Mioulane 65, 111Nathalie Pasquel 43Friedrich Strauss 33, 40 a 48 a, 52-53, 61 ab, 69, 70 a, 72, 73, 77 ab, 83, 84 a, 85 ab, 87 ab, 95 ab, 99, 104 a, 107 ab, 123, 132-133.

© col. Larousse/Czap Daniel (estilismo Dard Patrice): 87 a.

Olivier Ploton © Archivos Larousse: 3, 4-5 (7 fotos), 6, 8, 9, 10, 14, 17, 19, 22, 27, 28, 34, 35 (5 fotos), 37 (2 fotos), 38 a i, 38-39, 47 ab, 54, 55 (5 fotos), 57 (2 fotos), 78 a i, 78-79, 80, 82 ab, 88 a, 89 (6 fotos), 90, 91, 93 (6 fotos), 94, 112 a, 113 (6 fotos), 114 (2 fotos), 115, 116 ab i, 117 (6 fotos), 118, 119 (2 fotos), 120, 124, 125 (6 fotos).